LA MORT D'EAU

DISTRIBUTEUR EXCLUSIF:

AGENCE DE DISTRIBUTION POPULAIRE INC.

1130 est, rue de La Gauchetière

Montréal   (523-1600)

- La photo de la page couverture est de **Freeman Patterson**, tirée de l'album **"LE CANADA du TEMPS QUI PASSE"** publié par l'Imprimerie de la Reine.

- La maquette est de **Jacques DesRosiers.**

⊂▭⊃ 2

YVES THÉRIAULT

LA MORT D'EAU

LES ÉDITIONS DE L'HOMME LTÉE
1130 est, rue de La Gauchetière
Montréal 24

Du même auteur

LA FILLE LAIDE, roman, première éd. Montréal, Editions Beauchemin, 1950, épuisé;
2e à 4e éd., Montréal, Editions de l'Homme.

LE DOMPTEUR D'OURS, Montréal, Cercle du Livre de France, 1951, épuisé;
2e éd., Montréal, Editions de l'Homme.

LES VENDEURS DU TEMPLE, roman, Québec, Institut Littéraire du Québec, 1951, épuisé;
2e éd., Montréal, Editions de l'Homme.

AARON, roman (Prix de la Province de Québec, 1954)
première éd., Québec, Institut Littéraire du Québec, 1954, épuisé;
deuxième éd., Paris, Bernard Grasset, 1957, épuisé;
3e et 4e éd., Montréal, Editions de l'Homme.

AGAGUK, roman (Premier Prix de la Province de Québec, 1958)
(Prix France-Canada, 1961)
première éd., Paris, Bernard Grasset, oct. 1958, épuisé;
deuxième éd., Québec, Institut Littéraire du Québec, nov. 1958, épuisé;
troisième éd., Québec, Institut Littéraire du Québec, 1959, épuisé;
quatrième éd., Québec, Institut Littéraire du Québec, 1960, épuisé;
5e à 14e éd., Montréal, Editions de l'Homme (2 vol.)

Traduction: Editions Riron-Sha, Tokyo, 1960;
Editions Herbig, Berlin, 1960;
Editions Portugalia, Lisbonne, 1960;
Editions Znanje, Zagreb, 1961;
Editions Aldo Martello, Milan, 1962;
Editions Ryerson Press, Toronto, 1963;

ROI DE LA COTE NORD, récit, Editions de l'Homme, Montréal.

CUL-DE-SAC, roman, Québec, Institut Littéraire du Québec 1961, à venir aux Editions de l'Homme, 2e édition.

LES COMMETTANTS DE CARIDAD, roman, 2e édition, Montréal, Editions de l'Homme.

N'TSUK, roman, première éd., Montréal, Editions de l'Homme.

CHAPITRE UN

Il filait les **i.** Il leur mettait un accent circonflexe. Il disait "les fîîîîlles". Il disait aussi "câlice" et cela le marquait. Il était Madelinot, un homme des îles depuis toujours qu'ils sont là, ces hommes.

(Le mot, quand il disait "calîîîîce", n'était pas blasphématoire. C'était un soupir, une valeur de soupir, ou de ponctuation. Un point et virgule dans une phrase d'actes quotidiens.)

Lui, Babin, les autres avec lui dans la barque, à coeur de saison de pêche, Primeau Cossett, Lavan, Donaldson, Comeau, parlaient tous ainsi. Ceux qui portaient un nom anglais ne l'étaient pas vraiment, ils s'étaient depuis longtemps rangés du côté du plus fort à Grande Entrée et à Hâvre-Aubert. Ils prononçaient les noms à la française, ils chantaient eux-aussi en parlant.

A cause de la mer, je suppose.

A prendre ou à laisser, le roulis de la vie : mais pas la mer. A prendre, la mer, et à ne jamais laisser.

Primeau a habité Montréal, bien loin de ses vents d'île.

— Tu le croirais pas, c'est haut de chaque côté de la rue . . .

(Plus précisément, il disait : "C'est pas creyâble en hauteur." . . . en continuant. Les **an** devenus des **on,** les **in** devenus des **ans.** Les **t** et les **d** incroyablement doux, et ça ressemble parfois à du ressac sur les petits rochers un jour de juin qu'il fait profondément beau à travers toute la mer.)

— . . . Venteux, si tu veux à la ville, mais ça sent pas la mer. J'ai vu marcher en coupant Montréal au milieu, à seulement vouloir trouver le fleuve — y **passe** là ! — me tenir sur son bord et me mentir à moi et puis à lui en prétendant que son eau c'est la mer. Ça nous manque, on n'a pas idée.

("En calîîîîce," si le curé n'était pas là pour entendre.)

Faut dire. Des Babins, il y en a partout où se fait la pêche en mer. A Paspédiac, sûrement, à Shippegan bien entendu, à l'Anse-à-Gascons, à Grande-Rivière, côté français. Côte anglais, c'est tout aussi innombrable, à Terre-Neuve ou au Cap-Breton. Une pleine géographie.

(Et en Bretagne, au Portugal, en Sicile, en Espagne, en Norvège. Ça continue. L'ourlet de la mer, la couture entre la vague et le roc. Par tout le rond du monde, là où des hommes y vivent.)

Ça sera donc l'histoire de Babin.

D'un Babin comme les autres et puis, pas tout à fait, de quelqu'un qu'on prend la peine de raconter. Un Babin à dorures, forcément, si tu vois ce que je veux dire. Les sans-histoire, ça constitue le peuple, un peuple de Babins. Ils n'en sont pas moins glorieux et c'est d'eux qu'il s'agit vraiment. Seulement, ils ne portent pas leur gloire épinglée en public, ils ont un délégué pour ça : Babin ou son genre d'homme.

Mon Babin.

Valère Babin, fils d'Aurélien qui a marié la petite Chiasson du continent — Pokemouche, me dit-on — et qui a eu sept enfants bien portants et deux décédés. Pêcheurs tous, fils et père, jusque haut dans le temps passé, au début des Iles.

Ça commence sans avoir commencé, une vie de Babin. On passe de la petite enfance à la moyenne enfance et déjà de ses dix doigts il sait enfiler la boètte, larguer une cage à homard, apercevoir à coup sûr un flotteur au loin, s'inquiéter d'une sorte de vent pas ordinaire. Tout naturellement, sans fanfaronnade, parce qu'il vit journellement ce qu'il sait, et qu'il en apprend journellement davantage, sans que nul professeur ne le harcèle.

Tout naturel qu'à quatorze ans il soit un homme dans le métier et un enfant devant les filles.

Ohé !

Babin, mon Babin, s'est trouvé heureux neuf fois sur dix, et ses malheurs étaient ceux des hommes ses gens, son entourage : mauvaise mer, petite pêche, filets "aggravés", le "squid" — la boètte des Madelinots — trop rare avant une aube de départ.

Surtout, et à cause de tout cela, l'immobilité. Il y a un rythme. Tu dors, tu manges, tu observes le temps, tu vas repartir demain, cinq jours au large, tu vas revenir, dormir, manger, observer. La farine de ce pain du jour, la mer. Le levain de ce pain du jour, la bonne pêche. Et le paradis du morutier à la fin de tes jours.

A conclure, petits malheurs. C'est selon, quand même. Si tu es facteur ou plombier à la ville, curé de région laitière ou comptable au gouvernement, tu rapetisses le jour du Madelinot à ta mesure, qui n'est ni bien longue, ni bien large. Le malheur des autres, c'est une image immobile : c'est l'image de notre propre malheur qui bouge et nous blesse. Faut pas en demander trop à l'humain ; l'émotion au ventre, ça dure ce que ça dure, en rapport avec autrui. Se désoler d'une mauvaise année de Madelinots, quand on habite une maison chaude de Montréal et qu'on a de l'argent en banque, c'est de la littérature. Faut survivre de tels temps pour savoir ; faut, pour la femme et les petits, savoir l'homme en mer par un gros temps, qui tente de récupérer un peu, ramener ce qu'il pourra dans la cale, compenser pour la disette. Alors il brave tout, il risque tout, il devient téméraire : il lui arrive de périr.

Habituellement, on ne retrouve rien, ni barque, ni flotteurs, ni agrès, ni pêcheurs. Quand la mer avale, elle digère ; c'est de la voracité.

Dans ton métro rapide, devant tes échoppes souterraines à température constante, le téléphone chez toi qui commande et tout te vient à la porte : ne plus avoir à se déranger, vraiment . . tu deviens foetus, tu ne crois plus qu'à ton cordon ombilical et tu n'imagines plus que des gens doivent bouger, s'agiter, oeuvrer pour se nourrir.

Et c'est tellement loin. Tout comme les Indiens de la forêt, les Esquimaux du Grand nord. Des pêcheurs de décembre ? Ça t'enchante un peu, d'une façon, ça te donne de singuliers frissons : on se croirait dans les ro-

mans de Pierre Loti ou de Melville. Ça fait . . .
ça fait cinéma d'évasion ! Que ce soit au Canada . . . bien sûr, tu les as aperçus à la télévision, mais ce n'est pas une réalité.

Pour toi, le poisson, c'est une denrée
congelée chez Steinberg.

Et je gage que tu te demandes pourquoi,
au fond, s'ils en veulent tant du poisson, les
Madelinots, ils ne s'organisent pas pour l'a-
cheter congelé, comme tu fais, et en prove-
nance de la Norvège. Ça simplifierait les
choses, et tous les Madelinots pourraient faire
comme tu fais, habiter Montréal et se laisser
vivre.

Il serait aberrant, ce raisonnement, si ce
n'était que la vie de tout un peuple est aber-
rante, puisqu'il repousse en des lointains tout
ce qui n'est pas sa réalité propre, celle abru-
tissante des grandes villes. Puisqu'il trans-
forme en légende ce qui est une brutale réalité
qu'il n'entend apercevoir qu'à travers des
écrans de télévision et de cinéma, et qui ne
doit surtout pas le gêner dans sa bonne conscience de chrétien sans misère.

Pêcheurs de décembre . . .

Babin dans le large du Golfe, en décembre.

Mon Babin.

Et son équipage de jumeaux, de pareils à
lui, de ces fous étranges qui ne renient rien

et continuent, parce qu'ils ont un attachement à la mer.

D'ailleurs, ce fut dit : c'est ainsi qu'ils raisonnent, une année suivant l'autre. Et ils le disent.

"Ah, non, moi, me faire emporter de force, contre mon vouloir, jusqu'à Montréal, je mourrais plutôt que de me laisser faire. Faut du large à un homme. Le soleil qui se lève sur Cabot, ça nous dit que c'est grand le Bon Dieu et son océan. On se sent du respect. Perdre ça, c'est perdre la vie."

Ça manque pas, dans les villes, les durcis, les tannés qui prétendent que tout ça, c'est de la romance. Que les pêcheurs pêchent faute de connaître autre chose. Qu'ils ne voient plus la mer. Qu'ils partiraient demain si un avenir meilleur les attendait ailleurs.

Bon.

C'est beau le dire de loin ; faut y vivre, dans les îles, et partout le long de la mer. Faut connaître les gens. Ça arrive, le départ. Il y a toujours un aventurier qui lâche tout, qui va explorer, qui va creuser pour l'or. S'il reste au loin, c'est souvent l'orgueil, et puis la honte. Dix ans plus tard, il se démanche de malheur dans le nord de Montréal, à Limoilou ou dans Ste-Cécile, à Trois-Rivières. Les autres rentrent vite, oublient la ville, reprennent la barque. On compte ça chaque année sur quatre mains d'homme : ceux qui partent et reviennent. Et ceux qui se perdent, là-bas, aussi sûrement que s'ils s'étaient perdus en mer.

Par exception, celui qui réussit là-bas, devient monsieur et donne l'exemple. C'est vite dit, à la retrouvaille, celui-là ne parle que de l'enfance, que des îles, que de la mer. Il est tiraillé entre le coffre d'or et les bons vents berçants de juillet. Souventes fois, c'est une question d'avoir épousé une fille du haut continent qui n'aime pas l'odeur du poisson et ne comprend pas la vague. (Elle ne vivrait pas dans un tel isolement, dit-elle, elle ne pourrait s'épanouir. Ah !)

Comprends ce que tu voudras, mais tu n'ôteras pas à mon Babin et à ses semblables, la mer et la pêche, l'incertitude du temps et pourtant cette immensité où il règne et relève le défi un an après l'autre.

C'est dit.

Passons pour vrai à Babin.

Tel qu'en ce récit il a vécu.

CHAPITRE DEUX

Et pour répéter : Ça commence sans avoir commencé, une vie de Babin. C'est un glissement, une étape dans l'autre. Petite enfance, moyenne enfance, adolescence, vie d'homme.

Les deux enfants morts sont venus avant Valère dans la maisonnée d'Aurélien Babin. Mais d'avoir survécu, le voici maintenant aîné de sept, six autres après lui qui ont doublé le bon cap et vivent aujourd'hui. A des âges divers. Le plus jeune a quinze ans, Valère, lui, en a déjà trente-quatre. Il n'est pas encore vieux, il n'est plus aussi jeune : rien qui paraisse, rien qui se sente, mais peut-être juste un peu plus de lenteur dans la décision, dans le réflexe. Il mijote l'idée une seconde avant de donner un ordre de capitaine. Il postule la sagesse.

Marié lui-même, quatre enfants là, un autre qui vient et ça continuera. Chez des gens comme lui et sa femme, la nichée ne se compte pas avant l'heure. On aura ce qu'on aura, pas d'intention de contrainte. On a un toit et des murs, une table et des marmites, de la place à coucher et du temps pour s'aimer. S'aimer à deux, c'est bon pour les fiancés. Après, s'aimer, c'est à grandes brassées, quatre six huit, on préfère les chiffres pairs. La femme le dit, elle s'ennuie quand elle n'en a pas un à la bouteille et à la couche. Elle joue à la mère avec les autres, mais c'est avec celui-là qu'elle peut jouer à la poupée.

Ça, vois-tu, c'est l'odeur du large et la couleur de la mer : ça tient jeune, ça garde candide. On n'a pas idée de la jeunesse des rires, dans les îles. Un bon rire franc, ouvert, sonore. Jeune.

La maison de sept heures du soir, c'est une pagaille splendide. S'il n'en était pas ainsi, tous croiraient la fin du monde venue et le grand silence de la mort totale arrivé. Ça nourrit l'amour. Quand tout dort enfin, les blonds et bruns, des anges soudains, Valère et Marie se réunissent, mais ils n'ont jamais été désunis. Cette tendresse dans le regard, la timité des avances, les retrouvailles au lit, ça dépend de ça, vois-tu. Les gens seuls, ils vont au lit en bâillant, et ils y vont tard. Se retrouver par le sexe, il y manque la joie. Se retrouver en se souvenant des blagues de Jean-Pierre, de l'égratignure de Sylvie, des leçons mal apprises et du grand devoir d'arithmétique de Rogatien que l'on aide mais qui ne comprend que la pêche, c'est ça s'unir.

Le dire ainsi cela vaut sans doute tout autant partout ailleurs dans le monde, mais c'est d'une substance plus humaine on dirait quand la mer est là qui bat le roc, quand le vent est là qui emmène le salin à pleines rafales. La maison bouge sur ses aîtres, il vient parfois du grand large des grondements de nuit ardente, les barques heurtent le quai en cadence, à petits sons sourds et solides, on entend grincer les câbles sur les bittes et des chiens jappent, au loin, appelant la lune.

Dans le chaud du lit, le tiède de la maison, la paix du soir, c'est une tribu qui s'endort et une continuation qui se poursuit, à laquelle nulle pensée d'opposition ne serait permise.

Valère a des :

— Marie, ah, Marie !

Sans autres mots, puisqu'ils sont quand même là, sous-entendus. Et de Marie les seuls soupirs. On se retient, vrai, parce que le sommeil des enfants n'est pas toujours aussi lourd et qu'on ne veut point le troubler par des sons qu'ils ne reconnaîtraient point.

Au-delà des nuits, bien sûr, tout le reste des heures qui se vivent en même cadence.

La démarche de Valère, quand il monte des quais et prend à travers le champ jusqu'à la maison, elle ressemble au balancement de la mer, c'est à prévoir. Ce n'est ni lent ni hâtif : une conscience de ce qu'il y a de continuel dans toute sa vie. De l'immuabilité.

La démarche de Marie, quand elle part flanquée de deux petits qui trébuchent et portant l'autre sur le bras, c'est la même chose. Elle va au magasin de Doiron ; elle sait bien qu'il y sera encore tout à l'heure, qu'elle subsistera elle aussi, qu'elle a le temps de respirer. Courir, c'est à cause d'un affolement, il n'y en a pas foison dans la vie. Marcher en se balançant un peu, comme le fait Valère, son beau grand corps solide bien porté sur le pied à chaque pas, c'est marque de sérénité.

Avec un bonjour ici pour la femme de Cossett qui habite à côté. Un arrêt de dix mots là-bas à la clôture chez Primeau, un autre des hommes de Valère, pour échanger la nouvelle avec Lucia Primeau. Quelle nouvelle ? Une indigestion du petit, l'état de la pêche, le mourant du vent tourbillonnant de la veille qui faisait des sorcières sur tous les plains de sable... Il y a toujours de quoi à dire.

Mais ce qui importe, c'est qu'on vit sur ce rythme qui paraît lent et reste pourtant puissant. On accomplit quelque chose, jour après jour. On le fait malgré tout, même malgré la mer. On le fait, en tout cas, malgré l'incertitude des revenus, malgré la furie du vent, le froid sans nom de l'hiver, l'aridité des sols, la précarité de l'embauche.

On le fait sans choix, et sans pouvoir imaginer qu'il puisse s'en trouver un.

Avant le mariage, Valère Babin avait dit à Marie Comeau qui allait devenir sa femme :

— Vas-tu me demander de partir, d'aller sur le continent, à la ville ?

Marie, médusée, le regardait sans comprendre.

— Une fille, avait continué Valère, ça demande d'un homme des affaires pas faisables, Faut se méfier avant, pour pas pâtir après.

(Avec toujours l'accent, le chant de la voix et on aurait dit comme une odeur de varech qui flotte sur tout, et des plaintes de vent coulis . . .)

— Pourquoi je le demanderais ? a demandé Marie.

— Une fille, (une fîîîîîlle . . .) ça veut se sentir plus fort qu'un flux de marée.

— Je te prends tel que t'es. Parce que j't'ai connu tel que t'es !

Pas surprenant, ils ont grandi troisième voisin. A jouer à la "tag" sur le plain, à jouer à la cachette dans les récifs d'eau basse. En grandissant, ils se sont éloignés un peu, mais pas tant que l'un scrute l'autre et que la fille a son idée faite depuis qu'ils sont restés une heure durant couchés côte à côte, à plat ventre sur un roc, à regarder entrer la marée. Peu de mots, mais elle s'était sentie bien, là. Ils avaient tous les deux dix ans. Ce sont des choses qui marquent. Elle a grandi belle, Valère est un gars solide, crinière noire, les yeux verts et il pâme encore les filles de Grande-Entrée.

C'est tout dire.

— J't'ai connu tel que t'es.

Entre gens de même sincérité, point besoin de serments. Il suffit d'une phrase fermement dite.

Ils se sont épousés pour rester sur les Iles. Rien ni personne ne les en déracinera.

Et c'est très bien ainsi.

CHAPITRE TROIS

Le récit ne commence pas à terre. Il commence en mer. Comme il se doit, je suppose ? Quoiqu'il aurait pu tout aussi bien commencer à terre, à son naturel. Mais il a du relent de mer aussi... Enfin, quoi, voilà, ce fut ainsi.

Beau temps, bonne mer, un brin de houle, de quoi se sentir bien, et juste assez de soleil, juste assez de vent, pour suer au bordage et trouver bonne fraîche au lé du rouf, à l'ombre. Une journée dépareillée, pour les pêcheurs. Le sang partout dans le corps et le goût de chanter.

Seulement, comme l'a déjà dit un ancien Babin, dans un soir de découragement, à se demander si vraiment le paradis de Dieu, ça va comporter des barques et une mer parfaite, il disait :

— Si nous autres on trouve pas du poisson

à tout coup, pêcheurs qu'on est depuis l'ancien temps, prouvez-moi que le Bon Dieu, dans sa bonne mer, trouvera moyen de mettre assez de poisson pour notre bonheur éternel.

Et il avait conclu :

— C'est maudit, le poisson ! Ça fait à sa guise !

La journée parfaite était frustrante. Rien qui montait. Ce jour-là, on était au homard, au petit large. On avait beau hâler les cages, c'était vide.

Le vieux Donaldson, l'aîné à bord, premier après Valère Babin, le capitaine, parlait sans rire et disait des drôleries. On connaissait ses façons.

— Y'a de quoi qui fait peur au homard. La semaine dernière, on a pogné trop de vieux. Il en reste qui ont juste rasé d'être pognés. Ils sont éduqués, là. Ils se tiennent à la porte des cages et renvoient les jeunes. Donc, on n'a pas de vieux, on n'a pas de jeunes. Ça paierait plus de pêcher la baleine !

(La farce de la baleine dure. Le chrétien qui en vivrait, dans le golfe, il lui faudrait parler baleine et charmer les plus naïves. Ce ne serait ni au filet, ni à la ligne, ni au harpon, qu'il en prendrait de quoi mettre le pain et le sel sur la table.)

Une heure après l'autre, ils ont accompli leur effort. Par acharnement, par espoir aussi qu'avant la fin du jour, il y aurait migration de homards dans les cages. D'autant plus qu'à terre, le marché était bon, c'était le temps d'y voir.

Mais la guigne continua, aussi butée, elle, que leur propre acharnement. Si bien qu'ils en vinrent à fumer au bordage en ne trouvant plus rien à se dire.

Sauf Cossett, vers quatre heures. Et des mots inattendus. Il est seul avec Valère. Les autres sont à l'étrave.

— La sœur de ta femme, dit Cossett à Valère, c'est vrai qu'elle part ?

Valère n'en savait rien. Il se tourna vers l'avant, où se tenait Régis Comeau, le père de sa femme . . .

— Tu veux dire Eve-Angèle ?

— Oui, dit Cossett, mais vaut mieux pas en parler au vieux. Il prend mal ça, à ce qui se dit.

— Elle part ?

Valère aurait quand même préféré en discuter avec Comeau. Il se sentait mal à l'aise ; il lui semblait que d'en parler comme ça avec un homme de pont, quand le père était presque à portée de voix, c'était malhonnête. Indécent, presque.

Cossett cracha précautionneusement dans la mer, signe qu'il cherchait comment dire ce qu'il allait dire.

— Ça se parle, Valère. Ça se parle mau-
ditement.

Valère se plissa les lèvres, réfléchit un
peu. Ce que lui apprenait Cossett le sur-
prenait grandement. Eve-Angèle... Puis il
haussa les épaules. La fille avait seize ans,
c'est l'âge d'une décision. D'un autre côté,
une nouvelle qui vient, pour ainsi dire, sur le
vent, c'est un peu choquant.

— On est les derniers à le savoir, fit-il
sèchement.

— Ta femme le savait, pourtant. Elle en
a parlé à ma femme.

Il y eut malaise. Valère n'aimait pas igno-
rer quelque chose que sa femme savait. Et
dont il se parlait à coeur ouvert sur les Iles.

— Elle part ? comme tu dis, elle part ?

Cossett hocha la tête.

— Oui, ça se parle sérieusement.

Il fallait digérer, mijoter, prendre du
temps avant un commentaire. Le fait Eve-
Angèle, on ne s'en détourne pas dans l'espoir
qu'il disparaisse. La fille est trop belle pour
les Iles ; elle n'a pas la même sorte de beauté
qui y court, disons. Il y a moins de mer dans
ses yeux et dans ses mots, et quand elle marche, le balancement n'est pas le même. Elle
parle d'une autre vie, qu'elle désire, qu'elle
va vivre. On ne la comprend pas trop quand
elle en parle ; elle emploie des mots nou-

veaux. Là-bas, pour elle, il y a un monde qui n'est pas semblable à celui d'ici : elle rêve d'y vivre.

Seize ans.

C'est vieux, aux Iles, c'est jeune aussi. On les marie à cet âge et elles font des bonnes femmes tout de suite habiles. Mais c'est jeune autrement, surtout devant l'artifice. C'est à cet âge qu'elles courent au malheur derrière les dunes, avec les étrangers de passage. Comme quoi c'est le temps où elles sont le plus gardées à l'oeil. Père, frères et soeurs se relaient. Il s'en échappe, on élève le petit, mais au pourcentage, c'est encore peu. Il en part, aussi, c'est l'âge. Ce sont celles qui ne reviennent jamais, ordinairement.

En général, il faut le dire, elles sont d'un type qui ne va pas mentir. Surtout celles qui partent. Commencé jeune, le mal à l'âme : déjà, à dix ans, on la voit qui change. Le regard surtout, et puis elles se renferment, se ferment, ne communiquent plus. Elles n'ont que hargne et mépris. Si bien qu'en certaines maisons, celles qui sont parties n'ont peut-être pas laissé un bien grand vide. Plutôt du soulagement.

Cas spécial chez Eve-Angèle, le changement est récent. Elle a grandi en même sincérité ouverte que les meilleures de toutes les Iles. La mer et les moules, le vent dans les cheveux et les grands jeux dans le sable, ça lui a été nécessaire comme le pain et la soupe. C'est à quinze ans qu'elle a changé et l'on n'a vraiment pas compris comment, ni pourquoi. Si bien que dans sa famille, on n'a qualifié l'état que de passade et rien de plus ! Un mal de croissance. Elle se retrouverait, elle laisserait les catalogues des grands magasins, les revues françaises achetées chez Doiron, les longues heures devant la télévision.

Un matin, l'on en était persuadé, elle sortirait au petit vent de jour doux, les joues lui rougiraient, elle ouvrirait grand la bouche pour respirer le salin, et un an plus tard ce serait la noce au bras d'un gars des Iles.

— Eve-Angèle a du coeur, disait Marie. J'gagerais qu'elle va nous faire des surprises.

Elle en faisait : pas des douzaines, mais une seule, la pire.

— Ça se dit qu'elle part ? répéta songeusement Valère.

— Oui.

Même que Primeau survenu entre-temps, et qui n'avait encore rien dit, renchérit à son tour.

— Dans les trois ou quatre jours. Je l'ai entendu dire moi aussi.

Pause.

— Hâlez les cages, dit Valère. On a assez attendu, le homard est ailleurs. On rentre.

Ils amarrèrent à six heures, deux heures plus tôt que prévu, rien dans les cales.

Ce n'était pas un bon jour.

CHAPITRE QUATRE

— Ça se dit pour Eve-Angèle qu'elle va partir ?

Marie restait troublée.

Le souper s'était passé en silence. Valère semblait creux au fond de son propre gouffre. Marie pouvait bien croire qu'il s'agissait du homard enfui. Elle pouvait croire aussi qu'il s'agissait d'autre chose. Elle pouvait même penser qu'il s'agissait d'Eve-Angèle. Point assez sotte, à la fin, pour ne pas s'attendre que l'abcès crève. Si Eve-Angèle n'avait pas été la plus belle fille de Grande-Entrée, on n'en aurait eu cure, ou du moins, le mal serait resté entre les murs, à chacun des siens d'y voir. Mais s'il se discutait à tous vents, c'était à cause de la fille qu'on avait admirée depuis si longtemps.

Tout cela, Marie le savait.

— On est souvent les derniers à le savoir, dit Valère, les yeux au loin.

Marie rougit un peu, hocha la tête.

— Je le savais, moi . . .

— Oui . . . Oui, c'est ce que j'ai pensé. Toi et Eve-Angèle, vous vous parlez souvent.

— Oui.

— Je veux dire, vous avez toujours été bonnes amies.

— Même si elle est plus jeune que moi.

— Quand même . . .

— Oui, je sais, c'est vrai. Elle m'a dit qu'elle partait.

— Elle l'a dit aux autres ?

— Elle m'a chargée de le dire à maman . . .

— Et à ton père ?

— Oui.

Le dialogue avait été calme, jusque là. Lent et pourtant rythmé, comme si une longue lame de fond entraînait chacun dans son balancement lourd. C'était un drame, on ne l'aurait pas nié. C'était une déchirure. Et Valère aurait pu, étant ce qu'il était en sa maison et selon son union étroite à Marie, éprouver une ressentiment de ce qu'il n'ait été ni averti, ni consulté.

Par prudence, il n'en fit rien voir.

— Ça n'est pas, dit-il, quand une barque vient à la côte, seulement à cause de la force de la tempête. C'est aussi la main du maître sur la barre. Blâmer rien que la vague, on perdrait de la salive. Un homme mal à main, un distrait, un pas connaissant, il cale sa barque au premier souffle de vent. Faut pas prendre une chose pour l'autre. J'te dis pas, Marie, que j'aurais pas aimé mieux savoir, pour Eve-Angèle, depuis aussi longtemps que tu le sais . . .

— Ça fait trois jours.

— Assez longtemps pour avertir ta mère, parler à ton père. Moi, j'aurais dû être en premier.

— J'te demande pardon.

— Mais l'important, c'est pas ça. Faut d'abord penser à Eve-Angèle.

— Oui.

— Se chicaner à côté, c'est pas utile . . .

Le mot longtemps retenu explosa :

— Calîîîîîce!

— Valère !

— Ça me desserre le noeud, parler de même.

— Faut quand même pas.

Il ravala sa salive.

— Pis toujours, Eve-Angèle ?

— La même histoire que d'autres. La ville, le monde là-bas, gagner son sel, s'habiller à la mode, s'amuser à autre chose qu'ici, faire sa vie.

— Faire sa vie.

— Oui.

— Petite maudite folle. Ça prendrait une fessée.

— Tu frapperais rien qu'un coup, elle serait déjà sur le traversier.

— C'est ben ça !

— J'ai tout essayé, tout dit. Tu me connais. J'y tiens, à ma famille, aux Iles, à continuer ici.

— J'sais.

— On a parlé deux heures de temps. La consolation, elle part pas enragée. Elle dit que c'est beau ici, que pour d'autres ça peut être plaisant, qu'elle blâme personne, qu'elle méprise personne, mais elle, c'est là-bas.

— Montréal ?

— Ça semble.

— C'est pas sûr ?

— Oui disons.

— C'est pire que Québec.

— Ça se vaut.

— Ou ben Rimouski, Moncton. Une fille de par ici s'arrange mieux à Moncton, par exemple ... Ou ben à Matane ...

— Sept-Iles, comme la fille Gendreau ...

— Elle est partie mieux munie. Une maîtresse d'école, c'est sérieux. Elle enseigne là, c'est pas la même chose. Elle, c'est sa vocation. La vocation d'Eve-Angèle, ça serait curieux à connaître.

— Sois pas méchant.

— Comme veux-tu pas l'être ? Ça sait presquement rien faire de ses dix doigts. Ça ferait même pas une bonne femme de pêcheur.

— Elle a été enseignée, dis pas ça.

— Mais elle a rien appris. Quand on veut pas, on veut pas.

— J'te dis de pas être méchant !

— Tu voudrais que je la bénisse au nom du père pis va courailler à ta guise.

— Tu te fâches pour rien. Le gré du monde, c'est pas à nous autres de le changer. Je l'ai raisonnée tant que j'ai pu.

— Pour rien. Elle écoutait pas . . .

— Elle écoutait, elle comprenait, mais elle admettait pas.

— Têtue comme un cap de Miquelon.

— Son idée est faite. On la voyait venir, depuis un an . . .

Valère se leva, alla à la fenêtre regarder la nuit. Le vent était monté, la vague marmonnait plus fort, mais le ciel était limpide. En prévision, un autre beau jour . . .

— Mais, ronchonna Valère, j'le prédis, pas un maudit homard encore demain. On dirait que tout arrive ensemble . . .

Il revint vers la table, fixa Marie qui jouait distraitement avec sa tasse de thé noir.

— Veux-tu que je parle à Eve-Angèle ?

— C'est pour rien, mais ça peut pas faire de tort . . . Essaie.

Valère sortit. Dehors le vent le bouscula un peu et il fut surpris. Ce n'était pas du gros temps, mais une rage de mer surprenante pour l'époque. L'odeur de salin était si forte qu'elle envahissait toutes les respirations.

"J'ai qu'à voir, se dit Valère. Sur les petites hauteurs, si le fond brasse, demain on va courir le homard comme on court le lièvre. J'vas au poisson, tant pis, faut briser le sort."

Il arrivait chez Comeau.

Angèle n'était pas là. Soi-disant, elle était au village. Valère n'eut crainte de la surprendre dans les dunes. Si elle voulait partir, elle escomptait les garçons à l'autre bout de la destination, pas ici. Elle avait dû aller chez Doiron faire les derniers achats.

Il prit par le chemin du village.

CHAPITRE CINQ

Il va de soi que raconter les Iles est oeuvre majeure, si l'on y met le fil et la trame sans rien omettre. Il va de soi qu'il n'y a pas là que vertus familiales et noblesse de morutier. On y vit, ce qui est tout dire. Et chacun avec ses vices comme ses vertus. C'est le dosage des unes et l'influence des autres qui varie, comme partout ailleurs.

Que les vertus y aient goût de salin et les vices le rythme de la mer battante ne doit surprendre : vivre, c'est vivre et nul Madelinot n'y échappe. Aux jeunes et parfois moins jeunes la solitude des arrières-dunes, si tel est leur penchant. Mais ils n'y vont pas tous. La vertu des filles est là comme on la retrouve sur le continent. Plus ou moins ancrée, plus ou moins extrovertie ou introvertie. Celle qui explore les soirs doux n'y va pas nécessairement avec moins de vertu. Disons qu'elle cède au combat entre la force des principes et la faiblesse de la chair. L'autre, chez elle protégée, peut tout aussi bien profiter de ses propres solitudes. Encore qu'il en soit, fortes avec désinvolture et bien sûres d'elles-mêmes, qui vont de-ci de-là sans jamais pécher, sont rieuses et volubiles et bravent impunément les embûches. C'est le juste partage. Un peu des unes, un peu des autres, un peu des troisièmes. Tant qu'à la fin c'est un peuple. Tout vaut autant pour les garçons, pour les femmes, pour les hommes. Pour un Valère, il y en a d'autres, de moindre intégrité. Il y a le paresseux, l'ivrogne, l'hypocrite, le rusé. Il y a de tout.

On ne s'attendrait pas à autre chose.

Voilà le fil, voilà la trame, ce fut dit. Tenant compte de tout, reste le choix. Or le récit présent, c'est celui de quelques êtres voués à leur destin. Voués aussi à leurs idées. En opposition, s'il s'agit de celles de Marie, de celles d'Eve-Angèle, mais défendables en chaque cas.

Jusqu'à un certain point.

L'important, c'est le thème du départ : il occupe bien des âmes aux Iles. Il n'était auparavant que la révolte des ratés, des inadaptés ; comme tels ils se comptaient chaque année sur les doigts des deux mains. Et puis, ils partaient le plus souvent pour revenir, si piteux soient-ils aujourd'hui d'avouer l'échec. Or, les choses changent aux Iles, à cause du progrès ; par **faute** du progrès, disent les vieux, mais ceux-là achèvent le voyage et n'ont plus rien à bâtir. Les plus jeunes voient bien que le jour a été inévitable où l'on franchirait plus volontiers le bras de mer. A **cause** du progrès. Nette opposition entre le passé et le présent. Et surtout l'avenir. On quittait difficilement les Iles. Le bateau venait peu. Il en coûtait cher pour atteindre le continent, en termes de sous en poche et de niveau de vie. S'il faut travailler deux mois et se priver comme un Capucin pour acheter un billet d'aller-simple, c'est à y songer. C'était la mer, l'obstacle, sa largeur et sa hargne.

D'aucuns sont partis en barque. Ceux-là ne sont pas allés plus loin que les villages de pêche sur les rives du continent, Gaspésie, Côte-Nord . . . Ils ont retrouvé les mêmes misères. Ça ne change pas de la soupe aux têtes de morue, de savoir qu'il y a un chemin de fer derrière la maison qui pourrait mener vers l'Eldorado. Il faudrait pouvoir s'y rendre, à cet Eldorado. Or, en attendant, c'est la même morue, la même mer, les mêmes aubes et la même pêche de décembre. Changer le mal de place et qu'il reste un même mal, à la longue ne signifie plus rien.

Vaille que vaille, dans ce temps-là d'autre-fois, on a plus subi la contrainte, on a tiré parti tant bien que mal de la misère et on est resté.

Les jeunes surtout, restaient, et une fois moins jeunes, n'auraient plus su quitter.

De nos jours, tout change.

Eduquer les gars, éduquer les filles, c'est mieux vu. Pour mieux éduquer, pour parfaire aussi, il faut envoyer ces jeunes au loin. Les grandes écoles de la Côte Nord — à Haute-rive — ou dans le Bas de Québec, à Matane, à Rimouski, à Rivière du Loup, à Sainte-Anne. Et même à Québec. Et même à Montréal. L'essaimage chaque automne, vers le continent. Ça revient, ces jeunes, ou ça ne revient pas : on ne saurait prévoir. Tant qui ne résistent pas à la nostalgie et rentrent pour enrichir le patrimoine à leur façon, ce qui est un bien. Tant d'autres qui y résistent, s'installent dans les grandes villes et ne re-viennent plus, ce qui est un mal. (Mais à la fin, disons que les Iles gagnent plus souvent qu'on ne croirait ; certains qui restent là-bas à la fin reviennent. De plein gré. Par dégoût des villes, et par amour de la mer. Cela aussi fut dit. C'est plus facile si malgré tout ils ont tenu à rester dans la tribu et s'ils ont épousé, il y a longtemps, une fille des Iles . . .)

C'est un pays à soi, après tout. Un archipel

où régner. Les frontières en sont presque visibles, le royaume est indivisible, l'ennemi est loin. C'est la mer à la fin qui reste la cause et l'effet. Elle est souffle, elle est pitance, elle est plaisance et elle est protection, et elle est aussi l'obstacle. Partout elle s'infiltre dans les anses creuses, les bras de mer entre les îles ; les battures d'isthmes la contiennent illusoirement, et son vent comme son odeur enveloppent les Madelinots d'un même filet presque à jamais resserré. Il faut couper des mailles pour s'évader : ceux qui le font parviennent souvent à réussir ce qu'ils nomment la libération définitive. Peut-être ceux-là, vraiment, appartiennent-ils à une race autre, fourvoyée parmi les Madelinots, dont les chromosomes anciens se sont perpétués dans la descendance et qui produisent, à telle génération, des aubins en mal de fuite.

Les vrais Madelinots enfuis reviennent toujours, de l'esprit sinon du corps. Quand ils meurent à la ville, ils parlent des Iles dans leur dernier souffle.

Il n'y a ici rien d'idéalisé, et le romantisme est bien peu présent : nul Madelinot ne niera l'emprise de soi qu'est la mer tout autour. C'est elle qui l'a retenu là depuis tant d'années d'Histoire et c'est elle qui, malgré les communications désormais quasi instantanées avec le continent, le retient encore là.

Aujourd'hui plus consciemment, à cause de la prospérité relative de la pêche : à cause du homard, de la morue, du hareng, des pétoncles. On pêche en grandes barques, ou en chalutier. Les embarcations ont un équipage. La solitude en mer, c'est le folklore. On a la radio, le sonar, parfois le radar à petite portée. Cela compense pour la disponibilité de l'avion quotidien, du bateau plus fréquent, des amarrages d'hiver. On reçoit les lettres, on téléphone d'un coup, on a l'électricité là où il faut.

Plus rien n'est semblable.

L'exode ? C'est une émigration en cercle vicieux. Pour autant qui partent, presque autant qui reviennent.

Et parmi ceux qui reviennent, beaucoup qui vont inventer ce qui manque, construire selon le progrès, faire évoluer ce qui stagne.

Et tout cela est très bien.

L'histoire d'un départ, d'un seul, celui d'Eve-Angèle, serait plutôt un récit de veillée qui a moindre signification qu'autrefois, et n'a plus la même désespérance.

Sauf en ce qu'il touche Marie et Valère, et la famille Comeau. Et qu'il arrive à dire, ou même seulement à insinuer, comment il est difficile de vivre sur les Iles, et comment il en est des Madelinots.

Tels qu'ils sont.

Et Babin tout particulièrement.

CHAPITRE SIX

La rencontre entre Eve-Angèle et Valère se fit à mi-chemin entre la maison de Comeau et le village.

Valère l'avait pressenti ainsi. Le voyant venir sur le chemin à cette heure — on n'aurait pu se tromper sur la silhouette : la démarche, même dans le soir, ne trompait pas — Eve-Angèle avait d'instinct compris ce qu'il voulait.

Ils s'arrêtèrent là où le sable vient jusqu'au chemin et où il y a de l'herbe d'or.

C'était le noir bleuté d'un début de nuit limpide, un semblant de lune épiant à l'horizon en attendant de monter, le vent un peu rafalant et le bruit de la mer à deux pas. En somme, les Iles, à leur plus beau de la nuit, à leur meilleur de vent, à leur plus envoûtant de paix.

— Un soir de même, c'est pas le seul de l'année, dit Valère à la fille devant lui. Ça se laisse pas facilement.

— Ça se laisse, rétorqua Eve-Angèle d'une voix sèche.

— Pas facilement.

— On est pas obligé, dit la fille durement, de mourir où c'est qu'on est né. Pas obligé, jamais.

— Ça s'est vu. Ici plus qu'ailleurs.

(Et encore l'accent, la façon : Valère disait "icîîîite", comme ils disent tous. Et tous les autres mots de même musique. Eve-Angèle autant que Valère. Depuis tant de centaines d'années que ça dure, un tel parler.)

— Icîîîîtte plus qu'ailleurs, t'as raison, fit Eve-Angèle. On a la fosse de mort creusée par le vent dans le sable avant de naître. On a pas idée . . .

— Et puis . . ?

— On est comme l'herbe d'or. Pas tuable, pas déracinable. Si y'en a qui partent, c'est des rénégats, comme de l'herbe arrachée. Autant dire de l'herbe morte. Ça se comprend pas, la liberté d'aimer mieux ailleurs ?

— Peupler, dépeupler, c'est notre affaire. On est obligé d'y voir. Si la fièvre mortelle menace tout le monde, on va voir à l'épidémie. Faut qu'y en reste, demain. Toi, Eve-Angèle, t'as toujours été une fille du genre qui reste.

La folie te prend, aussi vite qu'un chaud et froid, tu sais que tu vas en entraîner ben d'autres à faire comme toi.

— Vas-tu me faire un sermon, Valère ?

— J'saurais pas comment. J'dis c'que j'pense. Si ça te sonne dans les oreilles comme un sermon, c'est parce que tu te sens en faute.

Elle cria presque :

— Lâche-moi donc patience ! J'ai pas juré de m'attacher à la maison de mon père avec une corde ! J'veux vivre ailleurs. J'ai autant le droit de vouloir ça que de vouloir rester. C'est des affaires de personne, puis c'est tannant de vous avoir après moi comme des écrevisses après les moules.

— Tu fais la sourde ?

— J'fais à ma guise. J'dérange pas ta pêche !

— Ta sœur Marie se fait du chagrin.

— Elle a choisi son sort, j'ai choisi le mien. Les deux se ressemblent pas, mais ils sont pas pires l'un que l'autre. Elle veut rester aux Iles, faire des petits, prendre soin de toi, ça la regarde. J'y ai même jamais reproché ça. Moi, c'est autrement que j'veux vivre.

— Tu peux te retrouver le bec à l'eau.

— On verra toujours.

— Y'en a qui sont revenues piteuses.

— Les autres, c'est pas moi.

Et Eve-Angèle ajouta, hargneuse.

— C'est pas disable, l'acharnement. Le marchand Doiron, le vicaire, mon père, ma mère, ma soeur, toi ! J'vas partir, Valère. J't'le dis comme j'l'ai dit aux autres. Vous ferez ce que vous voudrez, j'pars, de gré ou de force.

Elle vira les talons et s'enfuit.

Resté seul, Valère d'un coup de pouce renvoya sa casquette en arrière et lança rageusement :

— Calîîîîce !

Pour la deuxième fois de la soirée.

A la maison, Eve-Angèle entra rapidement, ne regarda ni les enfants encore attablés à leurs devoirs d'école, ni son père fumant silencieusement sa pipe près du poêle. A sa mère, elle jeta seulement, d'une voix sèche :

— J'monte me coucher.

Dans son lit, elle trembla longuement. Le combat était dur, harassant. Elle ne voulait pas flancher et pourtant elle avait peur. Ce qui l'attirait à la ville était fort, mais elle savait bien, aussi, que ses propres racines, dans les Iles, étaient fortes.

Quand elle fut calmée, comme à tous les soirs depuis le jour de sa résolution, elle chercha, de la main et de l'idée, la compensation qui la transporterait dans son euphorie neuve. Et pendant que lentement surgissaient en elles les vagues successives de la joie, elle rêva de cette lointaine ville d'or, où brillaient à cette heure toutes les lumières de la terre, où retentissaient d'innombrables musiques, où les filles aux yeux vifs dansaient sans fin, pendant que de beaux gars bruns au regard caressant leur disaient des choses belles et attirantes.

De beaux gars bruns et grands, aux belles mains fines, comme elle en avait vu dans les catalogues des grands magasins, dans les revues, et parfois, à la télévision.

Quand enfin la joie du corps et la joie de l'image se conjuguèrent, ne devinrent qu'un immense orgasme emmêlé, elle put à peine réprimer la plainte merveilleuse qui montait à la gorge et, roulant sur le ventre, elle mordit son oreiller et y pleura longtemps.

CHAPITRE SEPT

Valère, à trente-quatre ans, n'avait connu que les temps meilleurs de la pêche. (Il ne faut pas dire le "bon" temps ; tout reste si aléatoire.) Seulement ça. Le renouveau, la systématisation, les plus grosses barques, les chalutiers, les contrats des compagnies d'apprêtage. S'il parlait des temps de misère d'autrefois, c'était par ouï-dire, comme on les lui avait racontés dans sa famille.

Comeau, lui, le père d'Eve-Angèle, avait l'âge de se souvenir, il avait connu cette misère et l'avait vécue. Chez lui plus que chez Valère, subsistait la peur du lendemain. Car, bien sûr, autrefois, avant la misère, il y avait eu le temps des bonnes pêches qui nourrissaient les familles. Un autrefois lointain, mais se disait-on, en ces temps-là, que viendraient ensuite les longues décennies de disette ? On chantait la bonne vie. Et les privations étaient venues. Qu'on chante aujourd'hui la bonne vie, y avait-il garantie de toutes les aises demain ? La grosseur du chalutier ne garantit pas la grosseur de la pêche. On râcle les fonds, on poursuit le poisson là où il est, on vante la grande efficacité des méthodes modernes...

Oui, mais demain ? se dit Comeau.

Ça lui fait la mine sombre, il n'a pas la même joie que celle de Valère, que celle de tous les plus jeunes, qui vivent leur première étape et n'en connaissent point d'autres. Pas dans leurs muscles, pas dans leur angoisse d'homme. Ils n'ont pas eu la soupe à la tête de morue un mois suivant l'autre et des années durant. Ils ont tout, pour le rien d'autrefois. Ils n'ont pas ce que possèdent les riches, mais ils ont tout ce que peuvent posséder des pauvres qui sortiraient de la pauvreté. Comme quoi tout est relatif.

Comment Valère pourrait-il comprendre que c'est de la richesse de bedeau, une maison chaude et parfois du boeuf sur la table ? Et du pain blanc ? Et du beurre pour le pain ? Et de la conserve d'ananas. (Comeau se souvient qu'on achetait la mélasse au petit baril, directement des navires qui venaient des Antilles autrefois. Elle n'en était pas moins mélasse, après trois cent soixante-cinq jours. La misère exotique, et la misère tout court, c'est du pareil au même.

Trois sous la livre pour la morue brute. La morue prise à la trolle, péniblement, dans de petites barques. Selon la vague et le vent. Pas de marché pour le poisson divers sauf la sole et encore, et sauf l'aiglefin, quand il y en avait. Et à quoi bon remonter deux cents homards, si le "jobber" n'en achète que cent ?

Aujourd'hui, tout le homard se vend, mais il s'en prend moins. La morue rapporte, les autres poissons aussi. Rien ne se perd. Les pétoncles sont de bon profit. On drague la mer, on embarque à la tonne, tout est différent. Le métier est aussi dur, parce que la mer, elle, ne va pas changer selon le progrès. Mais les barques sont plus fortes et plus grosses, les vêtements plus chauds, la mécanique plus efficace.

Seul le vent — comme la mer — subsite et contre lui nul homme des Iles n'a su inventer de défense.

Mais il y a la télévision dans toutes les maisons : c'est un hublot qui révèle le monde et ça rend l'endurance plus continuelle lorsque le cafard surgit. Ça compte, à la fin. Comme a compté la radio, autrefois, puis le téléphone ensuite. On s'accouple au continent, on dirait, on est moins dans le fond de la géographie à se débrouiller tout seul. Faut comparer, bien sûr ; hier et aujourd'hui, compter les avances, dénombrer le progrès. Se souvenir de ce qu'on était, se voir tel qu'on est.

C'est parfois éloquent.

Sauf pour Comeau qui persiste à craindre. Le demain qu'il voit n'est jamais rassurant. Il ne se couche jamais le soir sans un mal sourd : et si tout cela s'écroulait ?

Il a sa bonne place sur le chalutier de Valère. Il en retire de quoi vivre. La maison est gaie et la table abondante. Il n'y a pas d'or en sac dans le grenier, mais cela c'est affaire de riche. L'important est pourvu, le train de vie assuré. Pour un mauvais mois, deux bons, et mieux qu'on croirait l'année se passe.

Allez le dire à Comeau !

Et puis, Eve-Angèle . . .

C'est le plus dur coup. C'est le mauvais présage. Dans une maison où on vit en gens des Iles, je veux dire selon l'amour qu'on ressent pour elles et le respect auxquelles elles ont droit, dans une telle maison, la défection est fracassante.

Comeau ne cesse d'y penser.

Sa femme Eva (On a nommé la petite pour elle, et pour Angèle Doiron, sa marraine), qui est plus placide, voit le mal, mais elle a moins peur.

— C'est jeune. Elle ira à Montréal, elle en reviendra.

— Tu l'encourages à partir ?

— J'ai tout fait pour la retenir. J'fais encore tout. J'peux pas l'attacher pieds et poings. C'est du monde, c'est pas une bête au licou.

— Revenir de Montréal, ça dépend comment.

— Tu vas toujours au pire !

— Dans toutes les Iles, depuis toujours, quand ça part, les filles, ça tourne mal.

— T'as beau exagérer ! Sois donc honnête !

— Honnête en quoi. J'peux en nommer vingt !...

— Vingt que tu vas nommer, des courailleuses par vocation. Ça couraillait ici, c'est allé courailler plus à l'aise là-bas. Les vraies tombées, tu les comptes sur les doigts d'une main. Puis les autres ? C'est à la douzaine, les filles allées travailler sur le continent, des maîtresses d'école, des garde-malades, des filles de bureau. Ça se conduit bien. Comme elles se conduisaient ici...

— Eve-Angèle a seize ans. Même pas un métier. Elle s'en va pas étudier.

— L'étude, c'est selon. Elle s'en va pas à l'école, certain !

— Justement.

— Mais, sur place, elle verra peut-être que c'est pas facile de gagner sa vie sans métier. Elle apprendra quelque chose...

— On dirait, ma foi, que tu veux la voir partir.

— Non, j'le veux pas. Mais j'peux pas l'empêcher.

— La loi nous le permet.

— Viens pas fou. Ça n'attache jamais du monde, la loi, j't'le dis. J'essaie de voir le meilleur côté de la chose. Eve-Angèle est intelligente, elle va vite s'apercevoir de son erreur. Mon avis, elle va revenir avant trois mois.

— Compte pas là-dessus.

— Tu sauras me le dire.

— Elle partie, les autres vont suivre...

— Tu te fais du mauvais sang pour rien.

— La vois-tu, ta maison ? Les enfants partis sur le continent, éparpillés d'un bord et de l'autre. Nous autres ici, trop vieux pour travailler... Même si on travaillait, y'aura-t-y de l'ouvrage seulement, l'année prochaine ? Que le prix du poisson baisse...!

Eva secouait lentement la tête. La jérémiade n'était pas neuve.

— Pourquoi le prix baisserait ? dit-elle. Les prix baissants, c'est plus à la mode depuis dix ans, dans n'importe quoi.

— On en prend trop, de poisson, c'est ça le mal !

— Ben, voyons donc !

— J'me suis laissé dire qu'à Montréal, c'est plein, les entrepôts de poisson. Quand y'aura plus de place, qu'est-ce qui va arriver ? A terre, le marché du poisson. On reviendra à trois cents la livre de morue, puis rien d'extra pour rien ! Tu verras. Puis à ce moment-là, au lieu d'avoir notre famille ici, autour de nous autres, on sera tout seul !

— Oui, et puis nos enfants gagneront bien leur vie à la ville, au lieu de périr ici.

— Bon, tu vois ? Tu veux les voir partir !

— Non ! Mais si la misère s'en vient, comme tu dis, autant les voir à Montréal, à se débrouiller . . . Mais la misère s'en vient pas. Notre bon temps est arrivé à demeure. J'veux les enfants avec nous autres. D'un autre côté, j'ferai pas en sorte de les voir partir, si c'est leur idée, en chicane avec nous autres. Au moins ça, de les garder à distance, si on peut pas les avoir ici.

Ça se tenait.

Régis Comeau n'ajouta rien.

Là-haut, Eve-Angèle dormait. Le temps avait fraîchi et au matin, on repartirait en mer.

Qui sait si, justement, demain, Eve-Angèle . . . Mais Régis se défendit d'une pensée aussi optimiste. Elle n'était pas dans sa nature, l'embarrassait, le faisait espérer ce qui était désespéré. Eve-Angèle partirait, c'était le commencement de la fin. La désagrégation ; il avait eu raison de ne jamais se laisser

gagner par l'inconscience de tous les Madelinots. Le mauvais présage était là, l'annonce
bien claire pour qui la voulait comprendre.

Il dormit mal, fit des rêves épouvantables.

A ses côtés, Eva, elle, ne dormit pas du
tout. Elle avait entendu les mouvements
d'Eve-Angèle là-haut, juste au-dessus de leur
chambre. Elle ne les avait pas compris, à vrai
dire, mais confusément elle les avait devinés,
et elle s'était mise à prier, sans suite, tout bas,
invoquant n'importe quel saint.

Un peu plus tard, quand rien ne bougea
plus sur le lit d'Eve-Angèle, elle soupira et
eut un murmure :

— Pauvre petite. C'est pas drôle, se ré-
veiller femme du jour au lendemain.

Dans son sommeil, Régis grogna des mots
semblables à une question, et il se retourna
vers Eva.

Mais la femme ne fit pas mine de l'entendre et ferma les yeux dans le noir.

Tout fut bientôt silence.

CHAPITRE HUIT

Au lendemain, il y eût bonne pêche.

Quand Valère mit pied sur sa barque, les autres y étaient déjà. Dans l'aube blême, ils semblaient des extra-terrestres avec leurs surcroîts de plastique. Comeau avait délié la dernière amarre en voyant Valère descendre vers le quai. Il retenait le bateau à force d'homme, un pied bien accroché à l'égoût du bastingage.

Valère sauta sur le pont.

— Lache, dit-il, on part.

Cossett, au moteur, mit le démarreur et le diesel ronronna aussitôt en mécanique bien servie et bien entretenue.

Donaldson manoeuvra la barre de main accoutumée, dégageant la barque de la longue rangée, la virant bord sur bord, pointant l'étrave vers le large.

Ils étaient, ce matin-là, les premiers à partir.

Le décostage accompli, Lavan, Cossett, Comeau et Valère dégagèrent le chalut.

— On va au poisson aujourd'hui, avait dit Valère.

Maître à bord ; son choix à lui, indiscuté.

— On rentre à soir, mais demain on partira pour cinq jours.

"Eve-Angèle sera partie quand je reviendrai", songea Comeau en panique. "Il faudrait que je sois là."

Il touche le bras de Valère, alors qu'ils sont à démailler le noeud double retenant le chalut.

Régis ne dit rien, mais ses yeux interrogent quand ils rencontrent ceux de Valère. Le silence persiste entre les deux et à la fin, c'est Valère qui baisse le regard.

— On va y penser, dit-il à Régis. J'sais ce que vous voudriez dire.

Régis lève un peu les deux bras, il a peine à parler, la gorge se refuse, il craint de sangloter.

— J'suis pas capable, dit-il après un temps,

Le chalutier a franchi la bûtée de la rade. Il prend la mer. La vague gonfle, bat plus régulièrement, plus durement. Le vrai vent se fait sentir, il y a plus d'obstacles.

— On en reparlera, dit Valère à Comeau. Tout à l'heure, quand on draguera.

Ce qu'a secrètement voulu Valère, c'était justement que Régis Comeau ne soit pas à la maison au départ d'Eve-Angèle. Que tout se fasse rapidement, et qu'il n'envisage plus ensuite qu'un fait accompli. Mais il y a tant de misère dans les yeux de l'homme...

— Ça peut s'arranger, dit-il au préalable. On en reparlera tout à l'heure, mais ça peut s'arranger. Pourvu que j'manque pas ma pêche à moi, même chose pour les autres à bord.

On en reparlera.

Et Régis sera là, puisqu'il le faut. Il souffrira sa souffrance comme il fait ses mauvais rêves ; il en a besoin. Confusément, Valère découvre que pour Régis, s'inquiéter, s'angoisser, souffrir, c'est nécessaire. Il ne peut pas décrocher, se perdre en autre chose, le travail, ou même une joie consolatrice.

Il n'attend pas la descente de la drague, à la fin, et vient dire à l'oreille de Régis :

— J'ai réfléchi. Restez à terre, demain. Vous perdrez pas grand'chose, j'vous garderai votre part.

— Ah, merci, Valère, merci.

— On a pas idée de remercier. Si ça m'arrivait à moi, j'voudrais être là, j'pense. J'en dis pas plus long, mais j'voudrais être là.

Et il le voudrait. Ses propres petits grandissent. Il en aura d'autres. Ils ne seront pas tous des enracinés, il s'en doute bien. C'est la marche en avant, le changement du monde. Les Iles sont accessibles, en retour ; le continent aussi. Les jeunes, ça regarde loin, ça voit ce que les vieux ne voient pas. Au-delà du bras de mer, c'est une autre vie. Un appel. La curiosité des chiots, c'est connu, ça mène la portée dans le péril et la mère n'est pas toujours apte à combattre tous les dangers. Sa Sylvie deviendra grande, c'est pour les enfants comme pour les petits poissons. Est-ce qu'elle sera une nouvelle Eve-Angèle. C'est affaire entre la raison et le coeur. Mais la chance diminue du côté des restants ; à cause de l'avance du monde. Sylvie à seize ans, les Iles seront encore plus collées sur la Gaspésie, on voyagera d'une place à l'autre comme autrefois le seigneur dans son carrosse. Vaille que vaille, combien en restera-t-il des petits Babins une fois la croissance à bonne fin ? La moitié en place, l'autre enfuie ? Le tiers en place, ou moins, le quart ? Valère Babin sait bien que les prédictions qu'il ferait, ou que sa Marie pourrait faire, ça serait du vent. Du petit vent comme il en vient l'été, pas franc, pas découpé, à peine reconnaissable.

Il en naîtra combien, d'Eve-Angèle, à l'année longue désormais, dans une place qui était autrefois oubliée quand elle n'était pas inconnue, et qui est en passe d'attirer les touristes à la centaine? Les yeux, c'est pas fait rien que pour surveiller la mer, le bouillonnement du gros temps à l'horizon ou la danse des flotteurs. C'est fait pour regarder la vie; avec moins d'aptitude, on dirait, et c'est ça le drame. Voir loin, voir juste, prévoir . . .

"Ma Sylvie," se dit Valère, "et puis si j'ai d'autres filles un jour, ça partira tout aussi bien." Et il songe en même temps que les garçons non plus n'en sont pas exempts, du grand appel. Mais eux, au moins, on craint pas autant pour le bien de leur âme et puis . . . les accidents. Ils sont plus aptes à revenir, les garçons d'ailleurs. Les filles, le destin est plutôt dans la maison, pour elles. Moins de grand large, même pas du tout des fois. Les garçons, la nostalgie est dehors: la mer, l'immensité; le souvenir qui ronge celui des beaux jours. Ils perdent plus, en quittant. Ils reviennent plus volontiers, c'est normal.

A la barre du chalutier, pendant que les hommes mangent en bas, Valère réfléchit à ce qui se passe.

Tout a changé, il le sait.

Tout change, il doit l'admettre.

La paix des soirs lorsque les enfants sont autour de la table à faire leurs devoirs, c'est pour combien de temps?

Et y viendront-ils tôt ou tard, lui et Marie, à ce que connaissent maintenant Régis et Eva?

Il sait bien que oui, et qu'il n'y peut rien.

"Seulement leur dire," songe-t-il," seulement leur entrer ça dans la tête, à tous mes petits, que la vraie bonne vie est ici, que le reste est un mirage . . ."

Mais le garçon de Maurice qui est médecin, à la ville, et ceux de Hervé, de Gustave, de François? Un ingénieur, un comptable, un professeur dans les grandes écoles. Les filles parties, des infirmières, des institutrices. Il y en a qui étudient encore à l'université, d'autres qui ont des beaux emplois pour le gouvernement, ou les grosses compagnies... Tout ça porte à réfléchir davantage. Dire quoi, aux enfants? Qu'il y a deux sortes de départ? La fuite, rien en tête et seulement le goût de la mauvaise liberté dans le coeur? Ou alors le goût d'accomplir tant et plus, d'étudier, de se placer haut dans le régime du monde . . .?

Ce sera difficile à expliquer.

Et dans l'un et l'autre cas, c'est l'abandon des Iles.

Rester pour être pêcheur? On peut imaginer pire, mais pour celui qui en voudrait plus, et mieux?

Pêcheur, un homme est libre, aussi libre qu'on peut dire. Il a la mer entière où voyager pour son pain. Mais la misère est là quand même, la misère physique, l'effort, la patience, l'endurance. A savoir la préférence: manquer d'air mais être avocat, docteur, ou monseigneur. Avoir de l'air, du vent et du salin, et pêcher la morue . . .

Rien de tout cela ne sera facile.

L'enracinement des vieux, c'était le manque de choix et le souci de tirer le plus possible de ce qu'on recevait d'héritage: une barque, une maison parfois, des agrès, un acheteur traditionnel pour le poisson, et la mer. Où aller? Que faire? Comment en sortir?

Aujourd'hui, il y a certainement plus de choix . . .

* * *

La pêche a été bonne et le chalutier est venu amarrer allègrement.

Le poids du jour, il était dans le coeur de Valère.

Le Madelinot commence à mieux comprendre.

Et puis vaguement, il a ressenti de la peur.

— Marie, qu'il dit en entrant. C'est pas des caliîîîîces de farces! On a pas fini de se débattre.

CHAPITRE IX

Eve-Angèle a déjoué un peu tout le monde.

Elle le sentait bien, ce n'était pas le temps des adieux larmoyants. Une résolution comme la sienne s'accomplit sans aide, sans retenue de soi et au-delà de tous les discours.

Régis Comeau aurait voulu être là. Peut-être pour tenter un dernier effort.

Eva Comeau, moins acharnée, comprenait mieux, mais elle se disait que le départ ne se ferait pas à la sauvette et qu'elle pourrait dire ses derniers mots. (Elle en avait tant à dire, mais elle savait bien, pourtant, qu'au dernier moment elle ne pourrait les sortir du fond de la gorge...)

Un peu partout, dans le village, on était sûr qu'Eve-Angèle, qui n'avait pas caché ses intentions, partirait au vu et au su de tous.

Or, il n'en fut rien. Pendant que Régis

était en mer, le téléphone chez Comeau sonna un long, trois courts. Eve-Angèle était partie soi-disant au village. C'était elle qui téléphonait à sa mère.

— Je suis à l'aéroport. J'avais pu sortir une petite valise que j'avais cachée chez quelqu'un, la semaine dernière. Je prends l'avion dans dix minutes. Il y a une boîte de linge dans ma chambre, sous le lit. L'enveloppe sur la boîte contient de l'argent. Dès que j'aurai une adresse où l'envoyer, vous vous en chargerez. Bonjour, maman, ne soyez pas inquiète, tout va bien aller. Je vais vous écrire dès que je serai installée à Montréal . . .

— Eve-Angèle! Ecoute, ton père . . .!
Mais la fille avait déjà raccroché.

Eva courut sur la route, comme une folle, criant aux passants. Elle put même héler une voiture, se faire conduire à l'aéroport à toute vitesse. Il était trop tard, l'avion décollait.

Régis, sa misère dans les yeux, dut entendre de la bouche de sa femme que sa fille aînée s'était enfuie sans un dernier mot.

— C'est fini, dit-il, affalé sur sa chaise. Je te l'avais bien dit, c'est fini.

Et pendant ce temps, dans les airs, Eve-Angèle apercevait pour la première fois le continent, la configuration de son pays, son nouveau pays, auquel jusqu'ici elle n'avait pas vraiment eu l'impression d'appartenir et qui se déroulait bien loin, en bas, au-delà des Iles.

"Salut, murmura-t-elle. J'arrive."

* * *

Ce mois-là, il y eut de grands vents qui dévastèrent les provinces et emportèrent la mer en vagues énormes.

Ce fut une année triste parmi les pêcheurs. En Nouvelle-Ecosse, seize hommes périrent dans le naufrage de deux barques.

Six autres barques, encore solides et durables, vinrent se fracasser sur des brisants. Les hommes survécurent, mais ruinés, pauvres peut-être à jamais.

Au Nouveau-Brunswick, onze hommes périrent.

Six à Terre-Neuve.

Les Bretons, les Gascons, les Portugais, les Irlandais et les Américains sur les bancs coururent vers les ports proches. Il en fut à Terre-Neuve, il en vint à St-Pierre, d'autres se cachèrent à St-Jean, à Halifax, et dans les petites rades du Maine.

La colère du vent dura trois semaines. On n'avait jamais vu, de mémoire d'homme, une mer aussi dure. Il fallait remonter aux ancêtres, rappeler les récits des défunts qui parlaient d'autrefois-la-mer. Part faite aux exagérations des conteurs, ce qu'ils décrivaient ressemblait à cette mer du jour ...

Valère fut pris au grand large. Il n'était que dans le Golfe, où la lame est tout de même plus courte, la masse d'eau moins encline aux grandes vagues maîtresses comme l'Atlantique sait en lancer sur les navires. Et pourtant, lui et son équipage durent lutter à bout de muscles pour tenir le chalutier à flot. Ils furent huit jours en mer à combattre la force contraire, au lieu des cinq prévus.

Au sixième, vu l'état du vent, si grand et hurlant, on commença déjà à s'angoisser à terre. Tu sais ce que c'est, l'attente dans le silence? Dès le premier grain, quand tout déferla sur le monde comme un cataclysme, l'antenne de la radio avait été emportée. Les accumulateurs, à leur tour, avaient été noyés: plus de communication possible.

A terre, aux Iles, le silence.

L'ignorance.

Et l'angoisse.

Sixième nuit, puis septième jour.

Il n'en fallut pas plus: on pouvait se dire que le chalutier ne rentrerait pas. On ne le disait pas encore, c'est pas la manière aux Iles, mais au-dedans du coeur on perdait espoir de voir apparaître quelque chose au large.

Et puis, comment savoir? Avec de telles lames, bien fin qui distinguerait un chalutier à plus d'un mille. Et un mille, c'est le salut, c'est déjà presque les butoirs des grandes chaussées de la rade, les deux môles qui brisent la lame et le vent et assurent l'amarrage en eaux calmes.

On épiait. A relais sur la grève, la femme de Donaldson, la fille de Lavan qui est veuf, la femme de Primeau, Eva Comeau, Marie Babin, la jeune femme de Cossett, la deuxième qui est une gaspésienne mais qui a su prendre racine dans les Iles.

Durant la septième nuit, ce fut le vicaire qui monta la garde. Il était Madelinot lui-même, il comprenait. Grimpé dans le clocher, dans l'aire de la cloche, il s'installa, longue-vue aux yeux et scruta la nuit agitée, mais claire et limpide comme une nuit d'octobre.

Le chalutier apparut durant l'après-midi du huitième jour. De loin on vit bien que sa superstructure était délabrée et qu'il avait encaissé les coups de la mer à la douzaine. Mais il voguait, il venait, c'était le principal.

A Montréal, Eve-Angèle lisait les journaux, écoutait la radio, regardait la télévision. Le soir du huitième jour, alors que Régis, assis dans sa chaise près du poêle, frissonnait en silence, un rhum chaud à la main, Eve-Angèle téléphona.

— Eve-Angèle, cria Marie. C'est toi! Ma fille! Parle! Parle-moi! . . .

CHAPITRE X

Jamais Eve-Angèle ne l'aurait avoué, mais au premier instant, lorsqu'après le trajet de l'aéroport de Dorval jusqu'à la grande ville, on l'avait déposée rue Sainte-Catherine, près de la rue Peel, c'était de l'épouvante qui l'avait assaillie.

Une épouvantable panique. On était un vendredi soir, à l'heure du crépuscule. La rue était une cohue comme jamais la fille des Iles n'en avait pu imaginer.

Un tapage aussi, qu'elle n'imaginait pas, dans ses lointains et dans ses solitudes, quand elle inventait de belles images pour nourrir son attirance.

Immobile, mais souvent bousculée par des passants pressés et indifférents, incapable de mettre un pied devant l'autre, elle se tenait à l'angle de la rue Metcalfe, regardant avec effroi ce monde qu'elle ne reconnaissait point.

Elle aurait voulu s'enquérir, parler à des gens. A des dames, elle sourit, mais on la regarda d'un air surpris. L'une d'entre elles répondit au sourire, s'adressa à Eve-Angèle, mais c'était en anglais et la fille ne comprit rien.

Pourtant, il fallait bouger, trouver un endroit où coucher, une adresse. Où va-t-on tout d'abord, dans quelle direction en partant de là! Eve-Angèle ignorait tout de Montréal, et n'aurait pu s'y diriger cinq minutes. Elle reconnaissait le nom de la rue Sainte-Catherine, c'était sans mérite de le savoir. Quel cap de boussole adopter? L'est? L'ouest? Fallait-il remonter la rue transversale où elle se tenait, ou la descendre plutôt?

Et il était près de huit heures.

Un jeune homme qui déambulait à pas lents lui lança!:

— Salut, beauté!

Aux Iles, Eve-Angèle eut répondu du même ton. C'était sans risques, on se connaissait d'enfance, et les étrangers, on les avait à l'oeil. Qui bougeait mal se faisait serrer de près et avertir. Tout cela est normal. Mais ici? Et celui-là?

Il s'approcha. Eve-Angèle vit qu'il avait dans le regard une convoitise nouvelle, qu'elle n'avait jamais aperçue dans d'autres yeux. Il la détaillait de haut en bas, goûlu, sûr de lui.

Elle lui tourna résolument le dos. Il lui prit le bras et elle se dégagea d'un geste brusque.

Et puis, un policier passait.

— Monsieur !

Elle tendait la main vers lui, implorant. L'agent s'arrêta.

— Vous parlez français?

— Mais oui, la petite.

L'importun filait, même pas, même nonchalance, mais avec une certaine résolution de fuite.

L'agent sourit.

— Laissez-vous pas faire.

— J'essaie!

— Vous arrivez par ici?

— Oui. Il faut que je me trouve une chambre.

L'agent hocha la tête:

— Ça manque pas, mais y'a un peu rareté ces temps-ci. L'été, le temps des touristes. Mon avis, allez donc au Y.

— Au Y? Qu'est-ce que c'est?

— LE YWCA, une sorte d'auberge pour les filles seules ...

— Un refuge?

— Non, non. Une organisation. Il paraît qu'il y en a dans le monde entier. Ensuite, c'est pas cher. Mal prise comme vous l'êtes, pas de place à coucher, ils vont vous en trouver. Et par cas qu'ils en trouveraient pas, allez à la gare . . .

— La gare?

— Oui. Là, il y a l'Aide aux Voyageurs. Eux autres, c'est leur obligation de vous trouver une place, pour vous protéger . . .

— Ah?

— Vous voyez, c'est jamais aussi compliqué que ça paraît. Là, vous allez m'écouter attentivement, j'vas vous dire comment aller aux deux places.

— C'est loin?

— Non, non . . .

— J'ai de l'argent pour prendre un taxi.

— Pas besoin, gaspillez pas pour rien. Ca se marche en cinq minutes. Ecoutez-moi bien.

L'agent avait rapidement et clairement décrit l'itinéraire. Eve-Angèle n'eut qu'à se souvenir des indications et en quelques minutes elle trouvait une chambre au "Y", comme disait le policier.

Dès le lendemain, elle trouvait un emploi de vendeuse dans un Woolworth, dans l'est, là où l'anglais n'était pas absolument nécessaire.

Le soir même elle déménageait dans une chambre trouvée à proximité de son emploi, chez de braves gens où elle se sentit bien dès le premier instant.

— Vous avez l'air d'un oiseau effarouché, dit la femme. On va prendre soin de vous.

Et Eve-Angèle commença sa nouvelle vie.

Mais dans cette nouvelle vie, il n'y avait nulle image des rêves lointains. Seulement une tâche banale, à accomplir chaque jour, en compagnie de filles comme elle, en trop de points semblables aux filles des Iles, ses camarades de toujours.

Aucun chevalier servant, beau et grand, brun et séduisant, ne venait la quérir chaque soir pour la mener dans les endroits merveilleux où régnaient de nobles musiques et chatoyaient les ors et les velours.

Les heures de travail étaient longues: elle rentrait chez ses gens harassée, fourbue. Aux Iles, debout — le plus souvent pieds nus — dans le sable, on y pouvait vivre des heures. Des heures aussi debout dans un champ, avec la caresse de l'herbe d'or sur les mollets. Dans le grand salin vivifiant, toutes les énergies se rebâtissaient au fur et à mesure de l'effort, on eût dit. Il avait été facile pour Eve-Angèle de transporter les bacs de morue, de ramener un doris d'une grande batture à l'autre, de rentrer une lessive complète, raidie par le froid sur les cordes. Elle n'en acquérait qu'une saine rougeur des joues et un flot de sang vif dans les veines.

Dans le grand magasin plat, au comptoir

des brimborions, nul fardeau à soulever et le plus grand effort était celui de sourire à tout venant. Pourtant, le soir, journée faite, elle ne désirait d'une chose: rentrer à la maison, manger et s'aller coucher. Tout de go. Parfois, un arrêt devant la télévision, mais bien rarement.

Dans la famille Dansereau, où elle habitait, on avait vite diagnostiqué son état.

— C'est le manque d'air, avait-on dit.

Puisqu'elle venait des Iles . . .

* * *

Ensuite, Eve-Angèle réapprit à respirer. L'odeur, au début, avait été un martyre pour elle. L'air, chauffé tout le jour par un soleil semblant immobile, devenu une sorte de bloc tangible, de nappe plutôt, étendue sur la ville dès le soir tombé. Et dans cette masse enveloppante, une gamme d'odeurs toutes plus écoeurantes les unes que les autres. Fumées d'échappement des autos, fumées industrielles, senteurs de rues sales, d'asphalte cuite tout le jour durant et exhalant le soir venu sa propre senteur de goudron.

Petit à petit, toutefois, Eve-Angèle en vint à oublier cette lourdeur du soir. S'il lui venait parfois la nostalgie des nuits odorantes des Iles, elle la réprimait aussitôt en se disant, de sa même voix de tous les rêves des récents mois:

— Je suis en ville!

Il ne lui était pas encore venu à l'idée, un mois après son arrivée, de se demander où étaient vraiment les rêves. Et si, lorsque parfois la nuit elle s'éveillait en pleurant, parce qu'elle venait d'apercevoir les Iles dans son sommeil, et les gens des Iles, ce rêve-là n'était-il pas à la fin le seul qui comptât?

Levée tôt, rentrée le soir à bout de souffle, six jours par semaine et le dimanche à flâner, désoeuvrée et trop lasse pour courir les miroirs aux alouettes, Eve-Angèle menait en somme une petite vie sans horizon, trop calme, appauvrissante.

Et s'il lui était arrivé de se demander, certains dimanches qu'elle avait passés à errer du salon des Dansereau à sa chambre, et de sa chambre à la cuisine, ce qu'elle faisait dans cette nouvelle vie, jamais elle n'avait osé répondre à la question.

Un jour, bien sûr, quelque chose changea.

Le fait d'être à la ville n'y était pour rien. La vie, où qu'on soit et quelle qu'en soit la trame, change à la guise du sort et nous ne sommes pas responsables du sort.

Tu comprends ce que je veux dire. Tu l'as vécue ta vie, toi, tout comme moi. On a beau se dire que tout est immuable, c'est au moment où rien n'est plus à espérer qu'on aperçoit de nouveaux aspects, que des actes neufs nous sont proposés. Autrement, qui pourrait survivre? Cela, pour Eve-Angèle, s'est justement passé alors que, dans le fond de son âme, elle se demandait depuis quelques jours s'il ne serait pas plus propice de reprendre le chemin de ses anciens éloignements. Rien de précis en elle, rien d'arrêté; mais une sourde hantise. Admettre la défaite, rentrer en mettant la tentative d'épanouissement au compte des illusions perdues.

Il était prévisible qu'elle ne soit pas toujours seule à rêver. Chez les Dansereau, il n'y avait que de jeunes enfants; aucune camarade possible, et peu dans la parenté, de braves gens un peu simples, qu'Eve-Angèle aimait bien, mais qui ne correspondaient certes pas aux images qu'elle s'était faites de la ville et de son monde.

Au travail, toutefois, il en advint autrement.

Mais il faut remonter en arrière un peu. De quelques jours à peine. A un moment, où, encore inconsciente de ce qui arrivait au juste, Eve-Angèle centrait sa nostalgie sur elle-même, et en venait à ne pas apercevoir les avenues d'évasion . . .

Voyons plutôt.

CHAPITRE ONZE

Au magasin.

Une quarantaine de filles.

Vues d'ensemble, rien qui les distinguât d'Eve-Angèle. Ou même, ce qui importait plus encore à la fille, rien qui puisse les lui faire distinguer, à elle.

Sauf une, mais il fallut à Eve-Angèle presque le mois avant que de la remarquer. La géographie du magasin n'aidait pas. La Madelinote aux brimborions, tout devant, près des caisses, l'autre derrière tout à fait, dans la quincaillerie. Et de surcroît, des heures différentes. Eve-Angèle pouvait manger de midi à une heure, chaque jour. L'autre quittait d'une heure jusqu'à deux. Même chose pour les pauses-café.

Quelques fois, Eve-Angèle avait observé cette fille de loin. La jupe audacieusement courte, le cheveu tout aussi audacieux, un air d'être à la mode comme si cela était la chose la plus naturelle du monde. Et jolie, avec un sourire spontané et un éclair dans les yeux.

Un jour, l'absence d'une compagne d'Eve-Angèle aux brimborions fit changer les horaires et la Madelinote se trouva assise à côté de Christine.

C'était son nom.

Précipitons les choses, ce qui devait arriver était à se produire. Une amitié se noua entre Eve-Angèle et Christine.

— Je ne suis pas de Montréal, dit la fille. Je suis de Dolbeau, au Lac Saint-Jean.

Elle aussi avait fui, même si sa ville, là-bas, n'était pas si lointaine, et qu'on y vécut plus encore à la moderne qu'on ne le faisait aux Iles.

— J'étouffais, dit Christine.

— Moi aussi, dit Eve-Angèle.

Etouffer ne signifiant pas, bien sûr, l'air vrai qu'on y respire, à l'un et à l'autre endroit, odorant et bon.

Un récit vite enlevé: le petit départ, le triste départ. L'envol de l'oiselet battant pour une fois de ses propres ailes. Toute l'histoire du monde, le déracinement, la folie de vivre, la rage de vivre par soi et pour soi. Et puis, le miroitement des appas : la grande ville et ses merveilles.

— Qu'est-ce que tu as vu, en ville? demande Christine.

— Moi . . . rien.

— Tu es ici depuis un mois?

— Presque deux.

— Moi, j'y suis depuis six mois.

Mais Christine, elle, avait vu bien des choses. Elle les raconta à Eve-Angèle.

— Tu n'es jamais allée dans une discothèque?

— Non, dit la Madelinote.

— Ou même au cinéma?

— Une fois, au cinéma, un dimanche après-midi, avec les gens chez qui j'habite.

— Et c'est tout?

— Oui.

— Tu n'as pas rencontré de garçon?

Cent, deux cents jeunes gens ont batifolé un moment, se faisant servir au magasin. D'autres ont lorgné Eve-Angèle, parfois l'un d'eux s'est approché, dans la rue, mais la fille les a repoussés.

— Ce n'est pas comme ça que je veux les connaître, les garçons.

Elle voulait dire: ce n'est pas le genre. Elle en tenait à ses rêves d'hommes beaux et séduisants, richement vêtus.

Elle en tenait aussi à l'image d'une Eve-Angèle portée au bras d'un tel homme aux endroits merveilleux de toute la ville. Le marivaudage inélégant des jeunes coqs en coupe-vent et aux cheveux longs ne signifiait rien. Eve-Angèle n'avait pas quitté ses pays pour reprendre là où elle avait laissé, avec de semblables jeunes gens, démunis comme elle, membres d'une même tribu d'êtres emprisonnés dans leur petit horizon.

Celui dont elle rêvait lui disait vous et habitait un autre monde que celui, désespérément borné, des Iles ou de ce magasin où elle travaillait chaque jour.

— Je crois, dit Christine, que je peux te présenter quelqu'un. J'ai un ami. . .

— Ah?

— Il a des amis, évidemment.

Une peur envahit Eve-Angèle.

— Je ne m'intéresse pas aux jeunes fous, je t'avertis, dit-elle.

Mais Christine éclata de rire.

— Et moi, tu crois que je m'y intéresse? Tu verras, ça va bien marcher. As-tu de l'argent pour t'habiller un peu?

Eve-Angèle baissa les yeux, se regarda, regarda Christine. C'était vrai que ses robes accortes mais taillées d'hier ne se comparaient plus aux audaces de Christine. Ça commençait creux, au niveau de la peau, les dessous, et puis la jupe, le chandail . . .

— Oui, j'ai de l'argent. Je ne suis pas partie les mains vides des Iles. Et je ne dépense presque rien sur mon salaire, à part ma pension.

— Tes cheveux aussi,   dit Christine ...
C'est jeudi. As-tu des congés de soir?

— Je travaille un vendredi sur deux.

— Cette semaine?

— Je ne travaille pas vendredi soir.

— Tu as ton heure de souper ce soir?

— Oui.

— On peut faire ça vite, aller aux alentours. Demain soir, la coiffeuse. Samedi soir, je te présente quelqu'un et nous sortons à quatre.

* * *

Aux Iles, on se remettait des tempêtes.

Après le téléphone inquiet d'Eve-Angèle, il y avait eu des respirations plus larges chez Comeau. Une manière plus coulante de prendre la vie.

Régis avait dit:

— Au moins, on sait qu'elle est en sûreté.

La description faite par Eve-Angèle de sa vie à la ville ne pouvait angoisser personne. Elle travaillait dans un grand magasin. Pour une fille juste assez instruite, ce n'est pas mal. Et elle habitait chez de bonnes et braves gens. On ne la voyait pas dans un monde étranger, inconnu, inquiétant. Il n'y avait qu'une sorte de transposition simple de sa vie aux Iles à une vie citadine. C'était presque acceptable.

— J'avais tellement peur qu'elle perde la tête, dit Eva. Jeune de même, on sait-y jamais le chemin que ça peut prendre.

Or, Eve-Angèle semblait continuer sans heurt, n'entreprenant pas, dès libérée et seule, sans comptes à rendre à quiconque, d'explorer à fond ses curiosités.

— J'aimerais mieux la voir ici, avait conclu Eva, mais elle semble faire la fille raisonnable à la ville.

— Elle a dit, fit Régis Comeau, qu'elle se met de l'argent de côté. C'est une bonne affaire. Faut se garder un amarrage contre la tempête.

Pour lui, c'était le meilleur billet de confession, bien qu'il l'eût haut nié, le cas échéant.

Chez Valère aussi, on guérissait les blessures, mais celles-là étaient matérielles surtout. Le chalutier avait été durement secoué, les dommages étaient plus grands qu'on ne l'avait d'abord jugé. Il avait fallu trois semaines pour le risquer de nouveau en mer. Valère avait piétiné sur place, mais qu'y faire? Aidé de son équipage, il avait effectué toutes les réparations qu'il lui était possible de faire. Les autres, mécaniques celles-là, plus spécialisées, avaient été laissées à ceux qui s'y connaissaient.

Bien sûr, l'assurance allait payer, mais pour qui est pêcheur, l'amarrage en bon temps bonne eau ne sourit pas.

On pouvait causer à loisir dans la maison, toutefois.

Et revenir sur le sujet d'Eve-Angèle.

— Elle est trop belle, avait dit Valère, c'est ça qui lui jouera un mauvais tour.

Mais Marie avait confiance.

— T'as entendu, au sujet de son téléphone? C'est pas une fille qui est partie en affolement, comme d'autres ont fait.

— Non, non, je sais. Mais elle se donne le temps de se retourner. J'm'attendais pas à ce qu'elle vire à la folie en mettant les pieds à Montréal.

— Tu vas toujours au pire . . .

— Mais non, tu vois?

— Eve-Angèle, c'est bien possible qu'elle réussisse bien à Montréal.

— On verra, dit Valère, sombre. On verra. La mer étale, c'est pas une garantie que le voyage va se faire sans houle d'une amarre à l'autre.

* * *

A Montréal, le samedi midi, une Eve-Angèle vêtue d'une mini-jupe extraordinaire, d'une chemise aux aspects troublants, la poitrine à peine contenue dans des dessous révélateurs, entendit Christine téléphoner à son ami, suggérer une présentation.

— C'est une fille des Iles de la Madeleine. Elle travaille avec moi.

Puis un silence, un commentaire, peut-être une protestation.

— Mais non, fit Christine, je t'assure que c'est une fille rare. Belle comme un ange et dans le vent. Ton ami ne regrettera pas de l'avoir connue. Dans le vent, j'te dis, comme j'en ai rarement vu.

Le coeur tout chaudi par la description de Christine, longtemps Eve-Angèle se balança, appuyée le dos au mur, de droite à gauche, les yeux fermés, les idées perdues dans toutes les splendeurs, pendant que Christine continuait à papoter avec son homme...

CHAPITRE DOUZE

En page 423 du catalogue Eaton, il y avait la photo d'un homme magnifiquement vêtu, un beau brun aux yeux aguichants. Une fille blonde appuyée sur son épaule marque toute l'admiration qu'elle a pour lui et pour ses vêtements.

Souvent, certains soirs, aux Iles, il était arrivé à Eve-Angèle de longuement contempler cet homme, dans la solitude de sa chambre.

Et puis, renversée sur le dos à la largeur de son lit, les jambes pendantes, de l'imaginer à ses côtés. Avec lui, elle visiterait toutes les contrées, elle contemplerait des sites splendides. Ensemble ils dîneraient aux chandelles, comme cela se voit dans les films à la télévision. Et puis, sous un porche de vieilles pierres, il la prendrait dans ses bras, et après un baiser interminable, elle l'inviterait à le suivre dans cette maison ancienne où, dans une immense chambre aux meubles antiques — là encore un retour au cinéma du petit écran — elle offrirait aux mains fébriles du bel homme toutes les agrafes qui la révéleraient, une fois libérées, nue et désirable.

Ces soirs-là, quand souvent c'était dehors l'hiver et les vents effroyables du Golfe, ça finissait toujours qu'Eve-Angèle se retrouvait nue sous les draps, livrée à des gestes qu'au matin elle regrettait et qu'au samedi suivant, à la confesse, elle n'avouait qu'en périphrases.

Or, quand l'ami de Christine qui était brun et beau tel qu'en ses rêves Eve-Angèle avait imaginé l'homme, amena devant la Madelinote celui qui serait le compagnon du soir, elle aperçut l'homme du catalogue, ou presque. Beau lui aussi, en son genre, presque aussi beau que l'autre. Richement vêtu de draps fins. Les gestes courtois, la voix modulée et grave. Et ce regard. Jamais encore Eve-Angèle n'avait aperçu un regard aussi brillant, aussi serein, aussi admirateur.

A son ami, le venant dans la vie d'Eve-Angèle déclara:

— Mon vieux, elle est vraiment une belle fille.

A Eve-Angèle:

— Je suis comblé. Christine n'a même pas réussi à vous décrire aussi jolie et bien mise que vous l'êtes.

Du coup, les hésitations d'Eve-Angèle s'envolèrent. Chez les Dansereau, elle avait été gênée de se montrer dans ses nouveaux vêtements. L'audace du corsage surtout, encore plus que la mini-jupe, même si celle-ci était exagérément courte — Christine avait elle-même déterminé cette longueur, la déclarant souhaitable et fort adaptée aux jolies et fines jambes de sa camarade — sidérait un peu Eve-Angèle. La mine un peu interloquée des Dansereau ne l'avait pas rassuré.

Mais devant Robert — on l'avait nommé pour elle Robert Harvey — elle se sentit tout à coup plus dégagée. L'effet qu'elle produisait ne mentait pas. Cet homme, du coup, s'éprenait d'elle.

C'était donc ça, le destin? Il n'en fallait pas plus? La rencontre fortuite de Christine, deux cents dollars de vêtements, une obéissance aux modes dans le vent, de l'assurance.

Eve-Angèle tendit une main qui ne tremblait même plus.

— Je suis très heureuse de vous rencontrer, monsieur . . .

Passer du rêve aux réalités; de la page 423 du catalogue à ce trottoir de Montréal, devant l'automobile magnifique, sous les lumières chatoyantes... Elle était donc au bout de sa route? Vivre, cela commençait ainsi, ce soir?

— Où allons-nous, dit Christine.

Ils allaient dans une discothèque...

CHAPITRE TREIZE

Chez Valère, le samedi soir, on se couchait plus tard. C'était le soir pour ça. Une sorte de fébrilité: une semaine qui se termine, la messe le lendemain, événement des sept jours. On y est en vêtements propres, on rencontre ceux qu'on ne voit que là. La veille commence déjà cet état un peu spécial, ces heures qui ne ressemblent pas aux autres.

Quand enfin les petits sont au lit, c'est le samedi soir que Valère se permet une bouteille de bière, bue en compagnie de Marie.

La revue de la semaine, souvent.

Les projets de la semaine suivante.

Mais ce soir-là, comme par pressentiment peut-être, Eve-Angèle.

L'enfance d'Eve-Angèle. Comme si, tout à coup, il fallait en parler.

— Elle a jamais été comme les autres, celle-là, dit Marie.

Mais Valère est agité, il a du ressentiment contre la fille qui a interrompu le bon rythme de leur vie. Il pense à nouveau à sa propre Sylvie. Et aux autres à venir, puisqu'il y en aura d'autres, évidemment...

— Je l'avais toujours prise pour une fille de tête.

— Les filles de tête, dit Marie, ça fait les mêmes bêtises que les autres, parfois. Mais moins souvent.

— Ou pas du tout.

— Moins souvent. Toutes les bêtises sont pas sues. Des fois, c'est rien qu'en pensées.

Elle se doute bien, Marie, que dans le secret des coeurs, tout n'est pas roses blanches et vertu solide. Elle se souvient de ses propres pensées, à quinze ans. Les aurait-elle toujours révélées?

Ou même ses propres gestes?

Raconterait-elle volontiers, aujourd'hui, ses explorations d'enfance? Elle a toujours été bien gênée de rencontrer Aubin Wilson, de Hâvre-Aubert. Il demeurait dans ses parages, autrefois. A dix ans tous deux, derrière les dunes, n'avaient-ils pas sombré dans des curiosités dont Marie, si elle en avait retiré un plaisir du corps dont elle ne soupçonnait même pas l'ampleur possible, préférait ne pas se souvenir?

Pourtant, dès son adolescence, et plus tard,

aujourd'hui épouse et mère, que pourrait-on lui reprocher?

Le secret des coeurs.

Elle pouvait bien se douter que pour Eve-Angèle aussi, tout n'avait pas été trois avés et la paix des sens. Jolie comme elle était, la bouche sensuelle, la profondeur du regard . . . On la voyait bonne fille, qu'en savait-on, de ses émois intérieurs? Et que savait-on de la pensée des filles "de tête", comme les appelait Valère.

Les "filles de tête" n'ont pas que la tête, puisque malgré tout elles sont des créatures de Dieu, faites faibles comme les autres et que la raison garde plus que toute morale enseignée. La raison à soi, personnelle et bien réfléchie . . .

Comme il en avait été pour Marie.

Et sans doute pour Eve-Angèle.

Sans aucun doute pour Eve-Angèle qui vivait calmement à Montréal, proprement autant qu'on en pouvait juger, à s'épanouir tout doucement.

N'était-ce pas bien ainsi?

— Elle est loin d'être folle, conclut Marie après un long silence.

— J'ai jamais dit qu'elle l'était, fit Valère.

— Te souviens-tu, quand elle avait dix ans? Puis même avant . . .

C'était un beau soir doux. Frisquet un peu, comme ils le sont tous aux Iles, même en été. Malgré le samedi, du silence. Il y avait danse à la salle paroissiale, le village entier y était; Marie et Valère avaient choisi de rester à la maison. ("J'ai besoin de tranquillité," avait dit Marie. "Je veux réfléchir..." Ou se souvenir?)

— C'était une petite gueuse, Eve-Angèle. Il n'y a pas de chien perdu, de chat mouillé qu'elle n'a pas ramassé... Te souviens-tu, Valère, quand elle avait volé le chat du curé?

— Volé... on dit pas voler!

— Elle l'avait pris... J'pense pas qu'elle ait eu plus que cinq ans... Il me semble de la voir arriver à la maison, le chat presquement plus gros qu'elle. Une bête à rat, un gros chat gris foncé. Il se laissait faire... Il a fallu deux jours pour retracer à qui il appartenait.

— Elle avait bon coeur. Elle a toujours eu bon coeur...

— C'est pas une méchante fille...

— Si elle avait voulu, quand Bernard Bourdages s'est intéressé à elle... C'est l'année passée, j'pense.

— Oui. L'été dernier.

— Un bon parti, pour l'avenir. Son père est conséquent. Il a tourné vite autour d'Eve-Angèle, Bernard. Vite et dru. Comme un chalut sur un fond de roches...

— Elle l'aimait pas.

— Il est avenant, pourtant.

— Elle en riait en pleine face . . .

— Pourtant, ça parut ben aller un temps...

— Une semaine. Puis elle a semblé se désintéresser, elle voulait plus le voir.

— Même chose. avec le jeune Chiasson du Hâvre.

— Un autre que ça allait bien au début.

— Oui.

Un temps.

— Etriveuse avec ça. A dix ans . . . Je reviens à c't'âge-là, elle en a donc joué des tours. A son père, à sa mère, à nous autres, aux voisins. Les inventions. Mettre des cailloux dans les mitoufles à son père. Il arrivait, fatigué comme on sait. Les cris de mort! Eve-Angèle riait, riait . . . Une fois, maman lui avait demandé de mettre du sel dans la soupe, ben la p'tite bonjour, elle a versé le pot de sucre dedans. De la soupe au chou, te dire ce que ça goûtait! Des tours pendables, fallait la surveiller . . .

— Puis elle pouvait être fine, une heure après . . .

— Une vraie chatte.

Silence.

— Elle va revenir, conclut Marie. Elle aussi se souvient du bon temps.

* * *

Il n'y avait que paix sur la mer des Iles ce soir-là, et la nuit montrait toutes ses étoiles. On entendait à peine le doux déferlement sur les rocs, le murmure de l'eau sur les sables.

Tout était bleu . . .

Bien loin s'en trouvait Eve-Angèle, dans la discothèque où elle buvait son premier verre, en compagnie de Christine, de son ami Serge, de Robert Harvey aussi, dont maintenant la fille savait la civilité, le bon maintien, les exquises manières, le chic et l'élégance.

Tout attentif à Eve-Angèle, il avait retenu avec compréhension la main de la fille lorsqu'en entrant dans l'établissement elle avait été saisie par ce qu'elle y trouvait.

On avait pendu à un plafond tressé des milliers de petites boules de plastique. Au milieu, trônant en maître, le comptoir du bar et ses strapontins. Autour, des tables. Trois parquets circulaires, entourés de barreaux formant cage, servaient à la danse; ils étaient éclairés — à peine — par-dessus et par-dessous. D'un orifice dans un haut mur, un projecteur lançait en cercle les couleurs étonnantes de tableaux modernes reproduits en diapositives. Le projecteur faisait voyager sur les boules pendues, les carreaux des cages, l'enceinte du bar, un faisceau toujours renouvelé. L'effet en aurait pu être féérique, n'était le tapage assourdissant d'une musique démoniaque, haletante, électronique, exaspérante. (Ah, qu'elle était loin la ballade et son troubadour heureux!)

Des couples enlacés dans les cages, filles à jupes rase-trou, hommes déguingandés; des couples encore, attablés, ceux-là enlacés, se suçant le visage interminablement; des garçons, imperturbables, se frayant un chemin dans la pénombre aux arrière-plans violents, vaquaient sans cesse au service.

Aucune conversation soutenue possible, rien autre qu'une capitulation devant cette violente attaque de son et de fausse lumière.

Et pourtant Eve-Angèle se prêchait une bonne parole de toute urgence: voilà de quoi elle avait rêvé. N'était-ce pas ainsi qu'elle l'avait tant de fois épié à la télévision, ce monde? N'était-il pas, celui qui l'entourait, la forme même de tous les rêves. A ses côtés ce bel homme courtois, au bras duquel elle sortirait en triomphe tout à l'heure. A la porte, la longue automobile lourde et brillante, crevant de luxe? N'était-ce pas, justement, ce à quoi elle avait rêvé? Les vêtements fins sur son corps, ce bruit, cette atmosphère, la danse des couples là-bas, ce monde chatoyant où ne semblait exister nulle misère?

C'était bien ça, n'est-ce pas?

Elle ne pouvait en douter?

Le drink était capiteux, amer, l'alcool créait en elle d'étranges remous, il lui semblait tout voir dans une sorte de brouillard doux, tout entendre comme à travers la brume de mai, aux Iles, quand les sons sont ouatés et presque tendres. Elle se balançait doucement sur sa chaise, baignée dans le bruit, la musique, dans la voix de Robert Harvey, toute chaude et enjôlante, lui murmurant des mots merveilleux à l'oreille.

C'était irréel, et pourtant il lui semblait qu'il ne fallait pas que la réalité se montre, que ce serait un désastre qu'elle ne parvenait pas à définir.

Un rêve, le rêve, ne jamais s'éveiller, ne jamais l'effrayer pour qu'il s'en aille à jamais.

Au bras de Robert Harvey, lorsqu'ils sortirent, elle vit bien que le rêve se poursuivait pareillement, que même l'air du dehors n'avait rien dissipé. Les lumières étaient là, partout, rouges, jaunes, bleues, vertes. La rue était une cohue, une foule bigarrée, jeune, ardente qui allait et venait dans le soir d'été.

Oui, c'était bien ainsi. Elle prenait sa première leçon de véritable vie.

Et il lui semblait se voir marcher, l'élégance des longues jambes fines traversant le large trottoir jusqu'à la voiture. Le froissement indescriptible, mais si doux, du linge fin sur sa peau.

Et elle paradait sa poitrine en marchant, elle rejetait la tête en arrière. C'était la griserie. Voilà comment elle l'avait toujours imaginé!

Et Robert qui ouvrait la portière de l'auto, qui lui prenait la main et la guidait comme on guide une reine.

La vie!

La vraie vie!

Vivre.

Où iront-ils? Danser encore? Manger? Serge prenait par des rues larges qui montaient. Eve-Angèle ne voyait vraiment rien. Robert Harvey avait passé son bras autour de l'épaule de la fille et elle s'était blottie là, dans le fin creux, toute menue, toute tiède.

Sur la banquette avant, Christine et Serge riaient au fond de la gorge, comme des pigeons, et ils échangeaient des murmures... La radio jouait, une musique pour envelopper les êtres.

Y eut-il, dans cette voiture, conscience du temps, conscience des endroits? L'automobile stoppa tout à coup, et Eve-Angèle vit qu'ils étaient dans un bosquet, un chemin étroit, sans issue, à peine de la place là, devant, pour tourner la voiture et repartir.

— Qu'est-ce qu'on fait ici? dit-elle.

Trois rires fusèrent, et elle se tut.

Vaguement inquiète, elle s'éloigna un peu sur la banquette.

— Robert?

L'homme lui prit la main.

— La paix, dit-il, la tranquillité. Tout à l'heure, peut-être, nous irons manger, et ensuite nous irons à l'appartement de Serge.

— C'est loin, ici, dit Eve-Angèle, c'est désert . . .

Serge coupa les phares de l'auto et le noir devint profond.

— Ah, dit la fille, il y a une panne?

Cette fois, personne ne rit, mais Robert se pencha, l'attira à lui, chercha ses lèvres.

— Mais non, il n'y a pas de panne. Nous faisons halte un moment. Pour nous mieux connaître.

Il haletait un peu et Eve-Angèle perçut une vague odeur d'amertume qui montait de lui. Ses mains étaient pressées, presque brusques; elles détachaient le chemisier, se rendaient à leurs fins, palpaient. La bouche aussi cherchait, avec brusquerie, et Robert eut soudain une exclamation un peu rageuse.

— Embrasse-moi, c'est le temps.

Surprise d'abord, un peu médusée, Eve-Angèle n'avait pas réagi, mais tout à coup elle se rendit compte qu'elle n'était qu'un jouet, un pantin.

— Non!

Quelqu'un devant, Serge ou Christine, alluma une cigarette et montra à la fille des Iles un Robert hagard, aux yeux fous, la cravate tournée dans le col.

L'image lui revint. Le gars avec elle derrière les dunes, sa ruée, son ardeur, sa brutalité.

Elle se revit pantelante sous lui, se tordant pour s'enfuir de là, et les lèvres baveuses du jeune Bourdages, ses vêtements ouverts...

Elle cria à nouveau:

— Non, non, je veux m'en aller!

Sur la banquette d'avant, Bernard se redressa, libéra Christine qui l'enlaçait de ses deux jambes.

— Qu'est-ce qu'il y a, derrière?

Robert Harvey, raidi, figé, lança entre ses dents.

— Tu aurais au moins pu te renseigner, Christine!

— Je veux m'en aller, fit Eve-Angèle.

On se consulta dans l'ombre, sans mot dire, par simples gestes à peine visibles dans le noir que leurs yeux apprenaient déjà à percer.

Puis Serge haussa les épaules.

— C'est peut-être mieux comme ça, dit Christine.

— Moi, ronchonna Bernard, ça me fait une belle jambe.

Ils partirent.

* * *

— Vois-tu, Valère, dit Marie dans sa maison des Iles, il faudrait que j'apprenne des choses bien terribles pour arrêter d'avoir confiance en Eve-Angèle. C'est une fille qui a du coeur. Quand on a du coeur, on le perd pas d'une heure à l'autre, d'un jour à l'autre.

* * *

Il était minuit et Régis Comeau ne dormait pas.

Il tournait, se retournait dans le lit, cherchant un sommeil enfui.

Il se leva soudain.

Marie, du fond de son oreiller:

— Régis?

Il grogna, en chemin vers la cuisine.

— Régis . . . ?

Elle se leva à son tour, le rejoignit.

— Es-tu malade?

— Non.

Il s'était assis dans l'obscurité, près du poêle, dans sa chaise habituelle.

— Régis, es-tu malade?

Il allumait sa pipe, tirant de lentes bouffées.

— Non, j'ai rien. J'arrive pas à dormir. J'me sens comme un creux, tu sais . . .?

— Ta digestion, peut-être? Veux-tu une tisane?

— Non, rien . . .

— Régis, dis-le moi donc qu'est que t'as?

L'homme se berça, fuma, resta silencieux un moment, puis, il sembla se décider:

— J'ai comme un pressentiment. J'peux pas expliquer. Une idée . . .

A son tour, Eva fut silencieuse.

Longtemps, comme si parvenait à comprendre par seule intiuition.

— Eve-Angèle? dit-elle finalement. C'est ça?

Dans la pénombre, Régis hocha la tête.

— J'parle souvent de malheur. Les gens viennent à se boucher les oreilles, je suppose. A soir, c'est un pressentiment. On dirait que quelque chose se passe, que j'en ai quasiment connaissance, mais pas assez pour savoir au juste . . . J'dors pas.

Eva se laissa tomber sur une chaise.

— J'pensais de suggérer qu'on dise un chapelet, mais les prières, c'est ben tard, et ça n'a pas donné grand résultat . . .

—On peut essayer, quand même, dit Régis. Ça peut nous aider, nous autres . . .

* * *

Quand Eve-Angèle descendit de l'automobile, dans la petite rue étroite où elle habitait, elle claqua la portière et entra d'un coup dans la maison.

Dans sa chambre, elle resta assise, habillée, toute droite sur sa chaise, les yeux fixes. Elle ne pleurait pas. Mais il semblait se creuser en elle une vide immense.

Soudain, elle murmura:

— Il n'a même pas parlé d'amour . . .

Quand madame Dansereau, inquiète frappa à la porte de la chambre Eve-Angèle ne répondit pas. Elle avait poussé le verrou et la logeuse n'insista pas.

Elle dormit à l'aube, d'épuisement.

CHAPITRE XIV

Il y a des jours de septembre qui cha-
toient, aux Iles. Ce sont de fastes jours, des
jours rares. Ils ont une couleur comme jamais vue toute l'année durant, ils ont un
vent qui leur appartient en propre, salé bien
sûr comme à l'habitude mais avec, dedans,
des odeurs douces qui semblent venir de
pays lointains.

Même le soleil s'en mêle, et lui aussi n'a
pas son semblant le reste de l'année. Il fait
une lumière un peu croustillante (n'est-ce
pas le mot?); on la dirait faite de menus
joyaux qui pourraient soudain se désagréger
et retomber sur la terre en une joyeuse cas-
cade.

Il fait mi-doux mi-frais, presque chaud,
surtout en plein soleil, et plaisamment frisquet aux coins d'ombre.

De tels jours rendent gaillards, ils revivifient, on se sent une démarche de jeunesse, des yeux de printemps. Et pourtant, ce n'est rien d'un véritable renouveau: l'hiver est presque là; il suffira d'octobre, d'un peu de novembre et il sera arrivé. Cela, on le sait, et c'est bien sensé qu'on tire parti de ce dernier beau jour et qu'on l'accueille à pleins bras.

Qu'on y chemine, qu'on y rie, qu'on y discute.

Combien y causent, qui n'ont causé ensemble de longtemps; combien y projettent, qui n'ont projeté de longtemps; combien y spéculent, qui n'auraient rien risqué de l'été?

Or ce beau jour en fut un bien plus grand encore pour Babin.

Pour Valère Babin.

Mon Valère.

* * *

Il faut le dire, ceci n'est pas l'histoire d'Eve-Angèle, pas comme telle.

C'est l'histoire de Valère Babin.

Et l'acte de la fille, posé comme il fut posé, c'est en Valère qu'il faut chercher la conséquence véritable . . .

Ce samedi soir où chez Régis Comeau l'on pressentait des choses troubles qui se passaient à Montréal, ce soir-là même où Eve-Angèle découvrait un sens de la vie qu'elle n'avait pas imaginé, chez Valère aussi un sourd malaise s'était manifesté. (Ainsi que chez Marie, mais elle avait fait mine de rien, s'était occupée des petits et plus tard à du ravaudage, à du repassage: la soirée s'était passée. Marie avait mal dormi, mais même si, à ses côtés, Valère aussi dormait d'un sommeil agité, elle s'était refusé à elle-même tout dialogue ... Au matin, l'angoisse subsista.)

Chez Valère, tout autant, une angoisse subsista.

Quand vint ce beau jour de septembre, ce qui avait pris forme en lui soudain s'épanouit.

Il regarda ce ciel inattendu, ressentit cette brise toute spéciale, et il dit à Marie:

— Bon, je sais ce que j'ai à faire.

Ils étaient venus tous deux jusqu'à la grève. Selon les plans, Valère ne décosterait qu'au midi et il serait parti cette fois dix jours, profitant des accalmies présagées pour aller trouver la morue jusque derrière Anticosti.

Il était dix heures pourtant, et il n'avait encore rien commencé de l'appareillage.

— Qu'est-ce que tu veux dire? demanda Marie.

Il avait les talons plantés dans le sable et

balançait son grand corps de gauche à droite, les mains aux poches. Et il souriait.

Marie le regardait d'un air étonné.

— Explique-toi?

— J'monte à Montréal.

— Quoi?

— Eve-Angèle . . . C'est à moi de la voir.

— Tu vas à Montréal?

— Ceux qui sont partis, on sait jamais quoi leur dire, vraiment . . .

— Toi, monter à Montréal?

— Oui, moi. C'est pas à Régis Comeau à se rendre là. Pas plus à sa femme. Et puis toi . . . aurais-tu compris?

Mais Marie secouait la tête de gauche à droite, muette de stupéfaction. Deux fois seulement Valère était allé à Montréal. Ensemble, lui et Marie avaient visité l'Expo. Et auparavant, c'était après les noces, ils s'étaient joints à un pèlerinage, dans un autobus qui partait de Moncton pour se rendre à l'Oratoire Saint-Joseph.

("Montréal, on rit pas, c'est l'autre bout du monde . . .")

— J'comprends rien, c'est vrai, dit Marie.

Valère téléphona, trouva une place sur l'avion en partance dans l'après-midi. Ses préparatifs furent simples. L'habit de dimanche, les souliers luisants, trop serrés, la cravate péniblement nouée.

Sur le tarmac, pendant qu'on finissait de charger le courrier à bord de l'avion, il tenta d'expliquer à Marie.

— C'est rapport aux pressentiments. T'en a eu dans ta vie. J'en ai eu, moi. Un samedi soir, je l'ai su le lendemain dimanche, Régis a senti que ça allait pas, à Montréal... Eva aussi...

— Moi aussi, je l'ai senti, cette fois-là. Mais mon père pourrait y aller mieux que toi...

— Donaldson commande le chalutier, moi, je pars. Régis dirait des niaiseries à Eve-Angèle. Sa mère, advenant qu'elle fasse le voyage elle, pleurerait... Toi, j'le sais pas...

— Il me semble que je la ramènerais...

— Moi, j'promets rien. Mais j'pense que j'sais ce qu'il faut dire... J'pense que j'ai compris... On n'a pas eu de nouvelles d'Eve-Angèle, ces derniers temps, hormis dix mots sur une feuille de papier. Elle travaille, ça marche bien... Bon. Mais la vraie vérité, on l'sait toi et moi, que c'est pas aussi simple que ça.

Tout le long du voyage, Valère réfléchit à ce qui allait se passer. Il ne chercha aucun mot, ne forgea nulle phrase en son esprit. Il laissa seulement la pensée de cette rencontre mûrir, s'épanouir en lui, tout comme l'avait fait le projet de ce voyage.

En bas, trois milles au-dessous de l'avion, le Canada se déroulait, splendide et exhaltant dans ses derniers verts de l'année.

Le soir, quand enfin Valère et Eve-Angèle furent dans leur seul à seul, il n'y eut que peu de mots. Le Madelinot avait causé avec les gens chez qui sa petite belle-soeur logeait. Et voilà qu'ils étaient maintenant seuls au salon, où on les avait discrètement laissés.

La fille était bien telle qu'elle s'était décrite. Valère l'avait retrouvée au magasin où elle travaillait. Rien ne semblait changé chez elle. Et sa joie de voir Valère n'avait pas été feinte.

Et pourtant, de l'angoisse dans la voix . . .

— Je ne viens pas te chercher, dit Valère.

Il eût du mal à reconnaître le sentiment qui sembla agiter Eve-Angèle à ce moment-là. Etait-ce désappointement, hargne aussi peut-être de ce qu'il ait abordé un tel sujet? C'était indéfinissable. Elle était longtemps restée silencieuse alors qu'ils marchaient dans la rue, se rendant au restaurant où Valère l'amenait manger avant d'aller rencontrer ses logeurs.

Dans le salon, Valère répéta:

— J't'ai dit que je n'étais pas venu te chercher.

Eve-Angèle avait dû se ressaisir, car cette fois son regard ne quitta pas celui de Valère et elle ne laissa paraître aucune émotion sur le visage.

— Ça m'étonne, dit Eve-Angèle au bout d'un temps que tu sois venu en simple visite. C'est un bon mois de pêche.

— Oui, c'est vrai.

Elle sourit.

— Mon père aurait plus facilement pu venir, lui. Ou même Marie . . .

— Pourquoi moi? C'est ce que tu insinues?

— Disons.

— Tu vis toujours de même, Eve-Angèle? Comme ça se parle, dans la maison ici, t'es pas sorteuse . . .

— J'ai commencé à prendre des cours du soir . . .

— Ils ont ben dit pas sorteuse. Les cours du soir, ça compte pas comme sortie.

Elle haussa les épaules.

— Ils ont l'air entichés de toi . . .

Eve-Angèle baissa les yeux.

— C'est pas rien qui me surprend, dit Valère. T'as de la finesse à volonté, t'es connue pour ça.

— Merci.

— On a eu comme un présage, un samedi, y'a pas longtemps. Chez Régis, ton père, chez nous aussi. Moi, Marie . . .

— Un présage . . . ?

Eve-Angèle montrait un sourire étrange, presque triste.

— Comme un avertissement que ça allait mal, pour toi . . .

La fille se redressa, elle allait parler, mais Valère l'interrompit du geste.

— Non, dit-il, dis rien. Les présages, les avertissements, quand tout le monde les ressent, ça veut dire de quoi. Tu m'ôteras pas de l'idée que c'est arrivé de même. J'sais pas quoi, j'veux pas le savoir. J'te vois aujourd'hui en bonne santé, t'as un bon regard, tu sembles pas tourmentée: c'est signe que ça va mieux maintenant.

— Ça va mieux.

— Ça pourrait encore aller mal?

Eve-Angèle secoua la tête.

— Non. J'ai mon travail, ça me coûte pas cher de pension, j'ai mes cours . . .

Valère soupira, sortit une cigarette et l'alluma.

— C'est comme ça que j'voulais te savoir . . . J'avais peur que ça soit autrement.

— Y'a pas d'autrement . . .

Il allongea les jambes, se rendit compte que sa cravate l'étouffait depuis longtemps, en glissa le noeud et ouvrit son collet.

— Ça te fait rien, Eve-Angèle?

— J't'en prie, mets-toi à ton aise . . .

— Nous autres, les gars des Iles, on n'est pas accoutumés à des habits de dimanche un jour de semaine. Le dimanche, on s'met ça sur le dos pour le Seigneur, pour le curé et puis le qu'en dira-t-on. Mais un mardi, comme aujourd'hui, c'est dépaysant de se retrouver en habit collant . . .

Il se replaça dans le fauteuil, un air de grand soulagement sur le visage . . .

— As-tu connu la fille à Baptiste Doiron, la grande mince, les cheveux noirs comme du poil d'enfer?

— Celle de Pointe-Aux-Meules?

— Oui.

— De nom seulement . . .

— C'est pas une jeunesse, elle va sur trente-cinq ans dans le moins . . . J'ai eu connaissance d'elle j'avais dix-sept ans puis elle avait mon âge . . .

— J'peux pas dire que j'la connais vraiment. J'sais qu'elle existe . . .

— Ouais, ben, vois-tu, elle est venue à Montréal dans ce temps-là . . . Si ça s'est parlé dans les Iles! A l'époque, une fille partait pour les grandes études. Si elle partait autrement, ça jacassait, comme tu penses . . .

— Ça jacasse encore aujourd'hui. J'ai reçu une lettre pas signée. Paraîtrait-il que j'suis venue cacher mon petit à Montréal . . .

— La même chose pour la fille à Doiron.

Du commérage puis des lettres... Même qu'une de ses cousines avait chargé un homme de Montréal qu'elle avait connu au bateau, d'aller vérifier. Tu vois ce que je veux dire?

Eve-Angèle haussa les épaules.

—Ils peuvent parler sur mon compte. C'est ça que tu venais me conter, que ça parle de même...?

— Oh non, non... J'parle de la fille à Doiron comme ça, comme on parle... La vraie histoire, elle était venue à Montréal gagner sa dot pour entrer chez les soeurs... Faut dire que raison de santé, elle a pas pu rester au noviciat... T'aurais dû la voir quand elle est revenue. Le menton haut... Elle en avait profité pour suivre des cours à Montréal, elle est arrivée toute toilettée... quand la vérité a sorti, les mauvaises langues, ça s'taisait...

Eve-Angèle éclata de rire.

— Aurais-tu dans l'idée que j'devrais entrer chez les soeurs...?

— Non, c'est pas ce que je disais...

Il se redressa, appuya les coudes sur les genoux.

—Vient un moment, des fois, qu'on se sent empêché de faire un pas à droite, ou un pas à gauche. C'est l'orgueil qui nous tient. Accepter une défaite, c'est pas toujours facile. Faire face aux mauvaises langues non plus. En par cas qu'une fille — ou un homme — se trouve prise de même, pas moyen d'aller vraiment plus loin, puis le goût de revenir au point de départ, c'est bon de se sentir accoté un peu. D'avoir le conseil de quelqu'un qui essaie de comprendre ...

— C'était pas toi qui comprenait le plus, aux Iles, Valère.

— Mais là, j'comprends mieux. J'fais jamais rien en excitation, moi, j'marche au ralenti. J'irai peut-être pas loin, mais j'vas y aller mieux, puis sans naufrager sur les brisants ...

Eve-Angèle détourna le regard. Elle ne savait quelle grande paix un peu triste montait en elle à mesure que Valère parlait.

— Une fille travaille trois ou quatre mois, dit Valère comme s'il se parlait à lui-même. Elle se ramasse de l'argent, elle se toilette, puis elle pile sur son orgueil d'un coup et elle refait son chemin. Par en arrière s'il le faut ...

Il se leva.

— Bon, j'ai pris une chambre sur la rue Saint-Denis. Il est assez tard. Je retourne demain.

Il hocha la tête et sourit.

— Tu sais, c'était assez beau, à matin, aux Iles!

— A Montréal aussi, c'était beau.

— Dirais-tu que c'était aussi beau qu'aux Iles?

Et il ajouta:

— C'est bon ça, apprendre à comparer avec du déjà vu, qu'on soit ici, qu'on soit là-bas ... Une fille qui se meuble l'idée, c'est pas une fille sur qui cracher ...

Eve-Angèle pleurait, et elle ne s'en cachait même pas.

— Bon, bonsoir, dit Valère. J'vas donder de tes nouvelles à chez vous, puis écris-nous en masse. On a toujours hâte de te lire.

Il s'engagea dans l'étroit couloir menant à la porte d'entrée. Silencieuse, Eve-Angèle l'escortait. Il allait sortir quand il se ravisa, prit Eve-Angèle aux épaules.

—Y'a une chose que la fille à Baptiste Doiron disait. A supposer que ça serait à recommencer, sa vie, elle irait quand même passer son cinq à six mois à Montréal. Mais pas neuf mois, ou dix, rapport aux histoires des commères ... Comme quoi y'a du blâme à jeter à personne ...

Il embrassa tendrement Eve-Angèle sur les deux joues ...

— C'est quand on se hâle un bon respire de vent comme à matin, aux Iles, qu'on peut comparer avec le vent de Montréal. Les deux se valent, c'est selon la vie qu'on mène. Aimer à Montréal, si on peut, être aimé aux Iles, tant qu'on veut. C'est pour ça que j'partirais pas de là-bas. J'ai besoin de Marie, vois-tu...?

Il sortit.

* * *

Aux Iles, Marie l'implora:

— Dis-moi qu'elle va venir, au moins.

Mais Valère secoua lentement la tête.

— Non, dit-il, c'est pas comme ça que ça peut marcher. L'important, c'est pas seulement qu'elle revienne. Faut que ça lui parte du coeur. Un jour, on va la voir descendre de l'avion, dans sa belle robe neuve, je suppose... Mais même si elle ne revient pas, elle va rester une fille des Iles. Autrement, elle aurait pu tout renier. C'était ça qui était à craindre. Dorénavant, c'est impossible...

Il prit une grande bouffée de l'air des Madeleines et dit, la voix joyeuse:

— J'ai fait un bon voyage.

Un voyage de Babin.

De Valère Babin.

Mon Babin.

FIN

ACHEVÉ D'IMPRIMER
À L'IMPRIMERIE ELECTRA
POUR LES ÉDITIONS DE L'HOMME LTÉE